As dores da alma

do autor de "Os prazeres da alma"

FRANCISCO DO ESPÍRITO SANTO NETO
ditado por **HAMMED**

Dados Internacionais de Catalogação na Publicação (CIP)
(Câmara Brasileira do Livro, SP, Brasil)

Hammed (Espírito)
As dores da alma / pelo espírito Hammed;
psicografado por Francisco do Espírito Santo Neto
Catanduva, SP: Boa Nova Editora, 1998.

ISBN 85-86470-04-X

1. Espiritismo 2. Médiuns 3. Psicografia
I. Santo Neto, Francisco do Espírito. II. Título

98-2945 CDD-133.93

Índices para catálogo sistemático:
1. Mensagens psicografadas: Espiritismo 133.93

Impresso no Brasil/*Presita en Brazilo*

FRANCISCO DO ESPÍRITO SANTO NETO
ditado por **HAMMED**

As dores da alma

boanova editora
Instituto Beneficente Boa Nova
Entidade coligada à Sociedade Espírita Boa Nova
Av. Porto Ferreira, 1.031 - Parque Iracema
Catanduva/SP | CEP 15809-020
www.boanova.net | boanova@boanova.net
Fone: (17) 3531-4444

25ª edição
Do 220º ao 225º milheiro
5.000 exemplares
Junho/2014

Capa
Direção de arte
Francisco do Espírito Santo Neto
Designer
Cristina Fanhani Meira

Diagramação
Juliana Mollinari
Cristina Fanhani Meira

Imagem
Figuras renascentistas

Revisão
Mariana Lachi
Paulo César de Camargo Lara
Vera Lúcia Massoni Xavier da Silva

Coordenação Editorial
Júlio César Luiz

O produto da venda desta obra é destinado à manutenção das atividades assistenciais da Sociedade Espírita Boa Nova, de Catanduva, SP.

1ª edição: Agosto de 1998 – 10.000 exemplares

Índice

Ilusão

Medo

Preocupação

Vício

Solidão

Culpa

Mágoa

Egoísmo

Baixa autoestima

Agradecimentos

"A última coisa que se decide ao fazer um trabalho é saber o que se deve colocar em primeiro lugar."

Pascal

Gostaríamos de registrar, no limiar desta obra, nossa eterna dívida de gratidão para com os benfeitores espirituais Blaise Pascal e Nicolas Pavillon, pela assistência e generosidade que sempre nos dispensaram.

À equipe de espíritos queridos, constituída de Catherine de Vertus, Walon de Beaupuis, Antoine Arnauld e Pierre Nicole, seareiros de ideal, amigos de agora e de velhos tempos – unidos por laços de amizade que os séculos não conseguiram destruir –, nossos agradecimentos sinceros extensivos a tantos outros companheiros que, no momento, seria impossível nomear.

E concluir, reafirmando com Pascal: "O coração tem razões que a própria razão desconhece".

Hammed

As dores da alma

Nas celebrações da publicação do primeiro livro da Codificação Kardequiana, quando a Seara Espírita completa 141 anos de iluminação e libertação das consciências, entregamos aos leitores o resultado de nossos estudos e meditações sobre os ensinamentos superiores de "O Livro dos Espíritos".

Desde muito, aspirávamos realizar comentários em torno da imensa riqueza que existe nessa obra basilar. Nela encontramos verdadeiros tratados de sociologia, de psicoterapia, de pedagogia, de saúde mental e outras tantas ciências, que são valiosos recursos para desenvolvermos a capacidade de pensar, de escolher, de tomar decisões e para nos tornarmos cada vez mais conscientes em todas as circunstâncias da vida.

Inspirando-nos em suas preciosas "questões e respostas"[1], fizemos nossas modestas anotações, cujas páginas[2], em sua totalidade, reunimos neste volume. Não temos a pretensão de inovar as diretrizes espíritas, mas sim o propósito sincero de reafirmar-lhes os sublimes conceitos que, em realidade, são os grandes estimuladores da mente humana à sementeira de uma vida nova. Para tanto, utilizamo-nos de um sumário de termos retirados dos materiais de pesquisa e do pensamento de notáveis estudiosos do comportamento humano.

Estamos cientes de que integramos falange de espíritos ainda em evolução nas atmosferas intelectuais da Terra, tão sujeitos a enganos como qualquer outro. Temos também consciência de que somos uma alma que leva ao alto o archote iluminado que

Jesus Cristo, por compaixão, nos concedeu a graça de carregar, para que iluminássemos a nós mesmos, em primeiro lugar, a fim de que conhecêssemos as nossas faltas e, ao superá-las, realizássemos o serviço do autodescobrimento.

Nada traz de incomum e extraordinário nossa contribuição. Estes simples textos, em que desenvolvemos um raciocínio, um a mais entre os diversos estudos das questões e dos conflitos humanos, representam o somatório de nossas meditações nos ensinamentos superiores. Apuramos dados atuais, examinamos conquistas modernas, observamos conceitos recentes, tentando resumir dessa forma nossas conclusões, que ora entregamos nesta editoração.

Em nossos apontamentos, denominamos os "sete pecados capitais" como as "dores da alma". São eles: o orgulho, a preguiça, a raiva, a inveja, a gula, a luxúria e a avareza. Na atualidade, graças ao valioso concurso das doutrinas psíquicas, de modo geral, e da psicologia espírita, especificamente, esses "pecados" são considerados mais como desajustes, neuroses ou desequilíbrios íntimos. Em verdade, os "pecadores" precisam mais de autoanálise, reparação e tratamento do que de condenação, repressão ou castigo.

Quem tem hoje um mínimo de clareza íntima procura discernir esses processos psicológicos em desalinho da psique humana e não levá-los a um sacerdote para que os absolva; ou, simplesmente, apontá-los como faltas ou erros provocados pela ação dos espíritos infelizes, sem assumir nenhuma responsabilidade.

Entendemos que as "dores da alma" são fases naturais da evolução terrena, nas quais estagiam todos os seres em crescimento espiritual, aprendendo a usar, convenientemente, seus impulsos inatos ou forças interiores.

A moralidade medieval, em seu ardoroso empenho de regulamentar uma linha de conduta, instituiu os "sete pecados capitais", o que supomos ter sido uma tentativa de impedir que as criaturas enveredassem pelos imaginários caminhos do mal, com o temor de serem levadas a uma completa ruína por toda a eternidade.

Na atualidade, as religiões austeras ou intransigentes proclamam ainda o pecado em "altas vozes", julgando as atitudes e as ações com um radicalismo irracional e posicionando-se com uma certeza absoluta sobre o que é bom ou mal, certo ou errado.

No entanto, quem compreendeu as divinas intenções do Poder da Vida sabe que, na nossa existência, nada pode estar acontecendo de errado, pois a obra da Natureza tem a maravilhosa capacidade de sempre estar promovendo a todos, mesmo quando tudo nos pareça perda ou destruição.

Ao entregarmos o nosso livro, temos a intenção de despertar os interessados para a conquista do auto-aperfeiçoamento, através do estudo da vida inconsciente, "o além-mar" de nossa existência de espíritos imortais, fazendo conexões entre os mecanismos e métodos da psicologia e diversas questões do "Livro-Luz".

Essas interligações entre a Nova Revelação e estudos das atividades psicológicas permitiram novos ângulos de compreensão, contribuindo para que aceitemos, valorizemos e apreciemos tanto as nossas experiências como as dos outros e avaliemos tudo aquilo que elas representam, naquele exato momento evolutivo, sem lançarmos mão de críticas, perseguições ou imposições.

Possibilitam, do mesmo modo, que nos limitemos unicamente a olhar e observar os vários níveis da experiência humana, sem contestarmos ou indagarmos se poderiam ou não ser de outra forma. Assim, apreciamos somente as diferentes ações e formas de aprendizagem com que os bens fundamentais da Divina Providência agem e promovem a evolução da humanidade. "Nenhuma pessoa se queixa das pedras por serem duras, nem tampouco da cachoeira por ser úmida". É dessa forma que devemos ponderar e analisar as atitudes heterogêneas na natureza humana, se quisermos facilitar e cooperar adequadamente com o processo educativo da Vida Maior em nós e nos outros.

O mau hábito de fixarmo-nos em prejulgamentos criar-nos-á dores e dificuldades no amanhã, quando tivermos que arrancar essas raízes de inflexibilidade. Por isso, entendemos que "melhor é ser planta que germina de galho".

A dor emocional, diferentemente da lesão material, implica uma angústia no corpo todo; porém, a impressão física parece real. As "dores da alma" provocam um aperto no peito, uma dificuldade de respirar, uma sensação de que o coração vai se partir. "Enquanto eu chorava, doía muito mesmo no fundo do coração", assim muitos se expressam diante dos pesares e aflições da vida.

As pessoas, entretanto, tendem a condenar e punir, olvidando-se de que todos somos alunos, não malfeitores, na escola da vida; que as "dores da alma" são as educadoras ou instrutoras particulares que a Harmonia da Vida nos concedeu, para vencermos bloqueios e obstáculos íntimos.

Esquecem também de que a Doutrina Espírita reconhece, não exclusivamente, a religião, mas de forma igual a ciência e a filosofia como processos de aprendizagem; em outras palavras, métodos de ensino importantes que utilizamos para conhecer a nós mesmos, as outras criaturas e demais criações do Universo. O Espiritismo sintetiza esses três métodos para que os indivíduos percebam a unidade ou totalidade do conhecimento pleno, e não a dualidade, que nos aprisiona ao mundo conflitante dos opostos.

Com esta singela obra, sentimo-nos desde já recompensados, pois oferecemos a instrumentalidade de nossa vida aos princípios do amor e da educação, tentando cooperar, de certo modo, com os nossos semelhantes. Portanto, se as páginas aqui reunidas puderem constituir para algum deles explicação, solução, reflexão ou renovação, ensejando-lhe alívio para suas "dores da alma", ficaremos duplamente gratificados pela realização deste trabalho.

Catanduva, 8 de junho de 1998.
Hammed

[1] *Tivemos a atenção de transcrever, ao término de cada mensagem, as questões em estudo de "O Livro dos Espíritos" (Edição da FEB, tradução de Guillon Ribeiro), a fim de facilitar as observações e os estudos dos leitores.*

[2] *Algumas mensagens psicografadas que figuram nesta obra foram, inicialmente, publicadas pela Boa Nova Editora e Distribuidora de Livros Espíritas de Catanduva, de forma avulsa. Aparecem agora revisadas e adaptadas, para uma melhor apresentação e ordenação do conjunto. (Notas do autor espiritual)*

Crueldade

A autocrueldade é, sem dúvida, a mais dissimulada de todas as opressões.

De todas as violências que padecemos, as que fazemos contra nós mesmos são as que mais nos fazem sofrer. Nessa crueldade, não se derrama sangue, somente se constroem cercas e cercas, que passam a nos sufocar e a nos afligir por dentro.

Montaigne, célebre filósofo francês do século XVI, escreveu: "A covardia é mãe da crueldade". Realmente, é assim que se inicia nossa auto-agressão. Em razão de nossa fragilidade interior e de nossos sentimentos de inferioridade, aparece o temor, que nos impede de expressar nossas mais íntimas convicções, dificultando-nos falar, pensar e agir com espontaneidade ou descontração.

A autocrueldade é, sem dúvida, a mais dissimulada de todas as opressões. Além de vir adornada de fictícias virtudes (aparente mansidão, paciência e serenidade), recebe também os aplausos e as considerações de muitas pessoas, mas, mesmo assim, continua delimitando e esmagando brutalmente. Essa atmosfera virtuosa que envolve os que buscam ser sempre admirados e aceitos deve-se ao papel que representam incessantemente de satisfazer e de contentar a todos, em quaisquer circunstâncias. Buscam contínuos elogios, colecionando reverências e sorrisos forçados, mas pagam por isso um preço muito alto: vivem distantes de si mesmos.

A causa básica do "autotormento" consiste em algo muito simples: viver a própria vida nos termos estabelecidos pela aprovação alheia.

A timidez pode ser considerada uma autocrueldade. O acanhado vigia-se e, ao mesmo tempo, vigia os outros, vivendo numa autoprisão. Em razão de ser aceito por todos, ele não defende sua vontade, mas sim a vontade das pessoas. Pensa que há algo de errado com ele, não desenvolve a autoconfiança e, continuamente, se esconde por inibição.

Pensar e agir, defendendo nosso íntimo e nossos direitos inatos e, definindo nossas perspectivas pessoais, sem subtrair os direitos dos outros, é a imunização contra a autocrueldade.

Para vivermos bem com nós mesmos, é preciso estabelecermos padrões de autorrespeito, aprendendo a dizer "não sei", "não compreendo", "não concordo" e "não me importo".

As criaturas que procuram bajulação e exaltação martirizam-se para não cometer erros, pois a censura, a depreciação e a desestima é o que mais as atemorizam. Esquecem-se de que os erros são significativas formas de aprendizagem das coisas. É muito compreensível faltarmos à lógica numa tomada de decisão, ou mudarmos de ideia no meio do caminho; no entanto, quando errarmos, será preciso que assumamos a responsabilidade pelos nossos desencontros e desacertos e apreendamos o ensinamento da lição vivenciada.

Quem busca consenso, crédito e popularidade não julga seus comportamentos por si mesmo, mas procura, ansiosamente, as palmas dos outros, oferecendo inúmeras razões para que suas atitudes sejam totalmente consideradas.

Vivendo e seguindo seus próprios passos, poderá inicialmente encontrar dificuldades momentâneas, mas, com o tempo, será recompensado com um enorme bem-estar e uma integral segurança de alma.

Estar alheio ou sair de si mesmo, na ânsia de ser amado por todos aqueles que considera modelos importantes, será uma meta alienada e inatingível. O único modo de alcançar a felicidade é viver, particularmente, a própria vida.

A fixação que temos de olhar o que os outros acham ou acreditam, sem possuirmos a real consciência do que queremos, podemos, sentimos, pensamos e almejamos, é o que promove a destruição em nossa vida interior, ou seja, o esfacelamento da própria unidade como seres humanos e, por consequência, nossa unidade com a vida que está em tudo e em todos.

Consulta Kardec os Obreiros do Bem: "*A obrigação de respeitar os direitos alheios tira ao homem o de pertencer-se a si mesmo?*" E eles responderam: "*De modo algum, porquanto este é um direito que lhe vem da Natureza*".[1]

"Pertencer-se a si mesmo", conforme nos asseveram os Espíritos, é exercer a liberdade de não precisar conciliar as opiniões dos homens e de livrar-se das amarras da tirania social, da escravidão do convencionalismo religioso, das vulgaridades do consumismo, da constrição de ser dependente, enfim, do medo do que dirão os outros.

A solução para a autocrueldade será a nossa tomada de consciência de que temos a liberdade por "*direito que vem da Natureza*". Contudo, de quase nada nos servirá a liberdade exterior, se não cultivarmos uma autonomia interior, porque quem está internamente entre grilhões e amarras jamais poderá pensar e agir livremente.

[1] *Questão 827*

A obrigação de respeitar os direitos alheios tira ao homem o de pertencer-se a si mesmo?

"De modo algum, porquanto este é um direito que lhe vem da Natureza."

Crueldade

Cada ato de agressividade que ocorre neste mundo tem como origem básica uma criatura que ainda não aprendeu a amar.

A crueldade, como pena de morte, já se achava estabelecida em quase todos os povos da Antiguidade. Em Atenas, dava-se ao sentenciado à morte opções de escolha: o estrangulamento, que era considerado por todos humilhante; o corte de cabeça através do cutelo, o que era muito doloroso; e o envenenamento, o preferido pela maioria dos condenados.

Na Roma Antiga, em época anterior a Júlio César, o enforcamento e a decapitação eram as sentenças mais generalizadas. Porém, ao homicida de pais e irmãos era aplicada uma pena invulgar: ser cozido vivo e depois atirado ao mar. A condenação dos incendiários eram as chamas da fogueira. Os hebreus preferiam o apedrejamento, ou a decapitação, pois atribuíam estar na cabeça a localização dos delitos. Na China, havia um processo de deixar cair gotas d'água na testa do condenado, sempre no mesmo lugar, até conduzi-lo à completa loucura. No Japão, os sentenciados à morte tinham a permissão dos juízes para rasgar o próprio ventre com o sabre.

Impossível descrever aqui, nestas rápidas reflexões, os atos terríveis de personalidades da história da humanidade, ou analisar sua natureza primitiva e rudimentar, inata nas almas em seus primeiros passos de ascensão espiritual. Nomearemos apenas algumas criaturas que tiveram comportamentos degenerados; como Nero, Calígula, Caracala, Gengis Khan, Ivã – o Terrível, Tamerlão, e outras, sem nos determos nas atitudes dessas figuras do passado ou do presente, nem nas incontáveis condutas cruéis de homens que passaram anonimamente pela Terra. Todavia, não poderíamos deixar de registrar o fanatismo e o autoritarismo da "Santa Inquisição" – também conhecida como o "Santo Ofício", criada em 1233 pelo papa Gregório IX –, que entrou para a História como uma das mais brutais demonstrações de ferocidade e violência contra os direitos humanos.

Não saberemos avaliar com precisão quais os atos mais perversos e sanguinários: os realizados pelos executores, ou os praticados pelos executados. Aliás, pessoas lutam e matam até hoje "em nome de Deus", para justificar e proteger suas crenças religiosas.

A atrocidade, o sadismo, a perversidade e a desumanidade são características provenientes da insensibilidade ou enrijecimento da psique humana, em processo inicial de desenvolvimento espiritual.

A Espiritualidade, na terceira parte, capítulo VI, de "O Livro dos Espíritos", expõe: "*(...) o senso moral existe, como princípio, em todos os homens (...) dos seres cruéis fará mais tarde seres bons e humanos (...)*"[1].

As faculdades do homem estão em estado latente, "*como o princípio do perfume no germe da flor, que ainda não desabrochou*", assim, também, em essência somos todos unos com a Perfeição Divina que habita em nós.

Todo processo de aprendizagem resulta em uma expansão da consciência, o que nos possibilita, gradativamente, abandonar os gestos bárbaros. Quando a criatura integrar na sua mentalidade o senso moral, que nela reside em estado embrionário, converterá os atos agressivos em atitudes sensatas e humanas.

Um traço comum em toda a Natureza é a evolução. Evoluir é o grande objetivo da Vida, pois, quanto mais progredirmos, mais resolveremos nossos problemas com harmonia e sensatez. A maioria dos indivíduos se comporta como se os problemas existissem por "si sós" e exige que o mundo exterior os resolva. Mas as dificuldades não existem fora, e sim dentro de nós mesmos. Nesse caso, quanto mais percebermos essa realidade, mais aprenderemos como solucioná-los sem brutalidade.

Cada ato de agressividade que ocorre neste mundo tem como origem básica uma criatura que ainda não aprendeu a amar. Naturalmente, todos nós ficamos indignados com a rudeza ou a maldade, mas devemos entender que isso é um processo natural da humanidade em amadurecimento e crescimento espirituais.

Por trás de todo ato de crueldade, sempre existe um pedido de socorro. Precisamos escutar esse apelo inarticulado e dissolver a violência com nossos gestos de amor.

Os atos e a vida do Cristo apresentam, sob muitos aspectos, sempre algo de novo a ser interpretado em seu significado mais profundo. A História da humanidade nunca registrou nem registrará fato tão cruel e violento na vida de um ser humano como aquele ocorrido há quase dois mil anos.

Os judeus tinham, nas redondezas de Jerusalém, uma colina que se destinava à execução dos condenados da época.

Era um terreno de acentuado declive, aspecto pesado e sombrio, onde crucificavam assassinos e ladrões. Os gregos deram-lhe o nome de Gólgota, do hebraico "gulgoleth" ("crânio"), os romanos chamavam de Calvário, do latim "calvarium" ("lugar das caveiras"). Esse sítio tinha uma formação rochosa que se assemelhava a uma caveira, além de nele se encontrarem, por todos os lados, crânios em decomposição, expostos ao tempo.

Nesse tétrico lugar, um ser extraordinário, que queria simplesmente despertar nos homens sua "dimensão esquecida", ou religar esse "elo perdido" ao Poder da Vida, foi crucificado penosamente.

"E, quando chegaram a um lugar chamado a Caveira, ali o crucificaram, juntamente com dois malfeitores, um à direita e outro à esquerda. Mesmo diante do sofrimento, Jesus dizia: Pai, perdoai-lhes, porque não sabem o que fazem."[2]

O grande número de pessoas ali presentes representava a violência humana; para elas não havia sequer um laivo de maldade em suas ações, e se ofenderiam, certamente, se fossem acusadas de perversas. Jesus, no entanto, as entendia em sua infância espiritual.

Todos nós, na atualidade, preocupados em saber como lidar com a violência que explode de tempos em tempos no seio da sociedade terrena, devemos sempre fazer uma busca interior para compreender integralmente o significado majestoso dessa atitude de entendimento, perdão e amor que Jesus Cristo legou para toda a humanidade.

[1] *Questão 754*

A crueldade não derivará da carência de senso moral?

"Dize – da falta de desenvolvimento do senso moral; não digas da carência, porquanto o senso moral existe, como princípio, em todos os homens. É esse senso moral que dos seres cruéis fará mais tarde seres bons e humanos. Ele, pois, existe no selvagem, mas como o princípio do perfume no gérmen da flor que ainda não desabrochou."

Nota – Em estado rudimentar ou latente, todas as faculdades existem no homem. Desenvolvem-se, conforme lhes sejam mais ou menos favoráveis as circunstâncias. O desenvolvimento excessivo de umas detém ou neutraliza o das outras. A sobre-excitação dos instintos materiais abafa, por assim dizer, o senso moral, como o desenvolvimento do senso moral enfraquece pouco a pouco as faculdades puramente animais.

[2] *Lucas 23:33 e 34*

Orgulho

Na vida nada está perdido; aliás, existe a época certa para cada um saber o que é preciso para se desenvolver.

Desprezar é sentir ou manifestar desconsideração por alguém ou por alguma coisa; portanto, é uma atitude sempre inadequada nas estradas de nossa existência evolutiva. Menosprezar é um sentimento pelo qual nos colocamos acima de tudo e de todos, avaliando com arrogância os acontecimentos e os fatos do alto da "torre do castelo" de nosso orgulho.

A nenhuma coisa ou criatura deve-se atribuir o termo "desprezível", pois tudo o que existe sobre a Terra é criação divina; logo, útil e proveitosa, mesmo que agora não possamos compreender seu real significado.

Talvez não entendamos de imediato nosso papel na vida, mas podemos ter a certeza de que todos somos importantes e todos fomos convocados a dar nossa contribuição ao Universo.

A cada instante, estamos criando impressões muito fortes na atmosfera espiritual, emocional, mental e física da comunidade onde vivemos. Todo envolvimento na vida tem um propósito determinado cujo entendimento, além de esclarecer nosso valor pessoal, favorecerá o amor, o respeito e a aceitação de cada um de nossos semelhantes.

Frequentemente, dizemos que certas pessoas são indispensáveis e que muitos indivíduos são improdutivos, e perguntamos mais além: qual o propósito da vida para com estas criaturas ociosas?

Não julguemos, com nossos conceitos apressados, os acontecimentos em nosso derredor; antes, aguardemos com calma e façamos uma análise mais profunda da situação. Assim agindo, poderemos avaliar melhor todo o contexto vivencial.

"*Desempenham função útil no Universo os Espíritos inferiores e imperfeitos. Todos têm deveres a cumprir. Para a construção de um edifício, não concorre tanto o último dos serventes de pedreiro, como o arquiteto?*"[1]

Nenhuma ocorrência, fato ou pensamento deverá ser sentido ou analisado separadamente, pois o "Grande Sistema", que nos rege, age de forma interdependente.

Apesar de sermos únicos, todos fomos criados para contribuir coletivamente no mundo e para usar as possibilidades de nossa singularidade.

Para tudo há um sentido e uma explicação no Universo. Sempre estará implícita uma mensagem proveitosa para nosso progresso espiritual, muitas vezes, porém, de forma inarticulada e silenciosa.

Nunca nos esqueçamos de que a vida sempre agirá em nosso benefício, quer nos setores da solidão, quer nos de muitas companhias, ou seja, entre encontros, desencontros e reencontros. A aflição também é um benefício: "Todo sofrimento é um ato importantíssimo de conhecimento e aprendizagem."

Se bem entendermos, no entanto, as verdadeiras intenções das lições a nós apresentadas, retiraremos tesouros imensos de progresso e amadurecimento espiritual.

As dificuldades que a vida nos apresenta têm sempre um caráter educativo. Mesmo que as vejamos agora como castigo ou punição, mais tarde tomaremos consciência de que eram unicamente produtos de nosso limitado estado de compreensão e discernimento evolutivo.

Descobrir a vida como um todo será sempre um constante processo de trabalho dos homens. Efetivamente, a vida é trabalho e movimento, e para fazermos nosso aprendizado evolutivo há um certo "tempo de gestação", se assim podemos dizer. Na vida nada está perdido; aliás, existe a época certa para cada um saber o que é preciso para se desenvolver.

Nosso orgulho quer transformar-nos em super-homens, fazendo-nos sentir "heroicamente estressados", induzindo-nos a ser cuidadores e juízes dos métodos de evolução da Vida Excelsa e, com arrogância, nomear os outros como desprezíveis, ociosos, improdutivos e inúteis.

Poderemos "agir no processo" de formação e progresso das criaturas, nunca "forçar o processo" ou criticar o seu andamento.

A pretensão do orgulhoso leva-o a acreditar que existe uma "santidade desvinculada da realidade humana", ou seja, organizada e estruturada de forma diferente dos princípios pertencentes à Natureza; portanto, não é de ordem divina, mas é da mentalidade deturpada de alguns místicos do passado.

Nada é inútil no Universo. A Divindade age sem cessar em solicitude e consideração a cada uma de suas criaturas e criações. O progresso da humanidade é inevitável. Todos estamos progredindo e crescendo, ainda que, algumas vezes, não nos apercebamos disso.

[1] *Questão 559*

Também desempenham função útil no Universo os Espíritos inferiores e imperfeitos?

"Todos têm deveres a cumprir. Para a construção de um edifício, não concorre tanto o último dos serventes de pedreiro, como o arquiteto?"

Orgulho

A compulsão de querer controlar a vida alheia é fruto de nosso orgulho.

Para ser bom mestre não é preciso fazer seguidores ou discípulos, nem mesmo possuir cortejos ou comitivas, mas simplesmente fazer com que cada ser descubra em si mesmo o seu próprio guia. Não devemos ditar nossas regras aos indivíduos, mas fazer com que eles tomem consciência de seus valores internos (senso, emoções e sentimentos) e passem a usá-los sempre que necessário. Essa a função dos que querem ajudar o progresso espiritual dos outros.

Os indivíduos portadores de uma personalidade orgulhosa se apoiam em um princípio de total submissão às regras e costumes sociais, bem como os defendem energicamente.

Utilizam-se de um impetuoso interesse por tudo aquilo que se convencionou chamar de certo ou errado, porque isso lhes proporciona uma fictícia "cartilha do bem", em que, ao manuseá-la, possam encontrar os instrumentos para manipular e dominar e, assim, se sintam ocupando uma posição de inquestionável autoridade.

Quase sempre se autodenominam "bem-intencionados" e sustentam uma aura de pessoas delicadas, evoluídas e desprendidas, distraindo os indivíduos para que não percebam as expressões sintomáticas que denunciariam suas posturas de severo crítico, policial e disciplinador das consciências.

Nos meios religiosos, os dominadores e orgulhosos agem furtivamente. Não somente representam papéis de virtuosos, como também acreditam que o são, porque ainda não alcançaram a autoconsciência.

Exigem e esperam obediência absoluta, são superpreocupados com exatidão, ordem e disciplina, irritando-se com pequenos gestos que fujam aos padrões preestabelecidos.

Possuem uma inclinação compulsiva ao puritanismo, despertando, com isso, simpatia e consideração nas pessoas simplórias e crédulas. Algumas, no entanto, por serem mais avisadas e conscientes, não se deixam enganar, discernindo logo o desajuste emocional.

O capítulo X da segunda parte de "O Livro dos Espíritos" diz respeito a "Ocupações e Missões dos Espíritos". Dizem os Benfeitores que a missão primordial das almas é a de "*melhorarem-se pessoalmente*" e, além disso, "*concorrerem para a harmonia do Universo, executando as vontades de Deus*"[1].

A autêntica relação de ajuda entre as pessoas consiste em estimular a independência e a individualidade, nada se pedindo em troca. Ninguém deverá ter a pretensão de ser "salvador das almas".

A compulsão de querer controlar a vida alheia é fruto de nosso orgulho.

O ser amadurecido tem a habilidade perceptiva de diagnosticar os processos pelos quais a evolução age em nós; portanto, não controla, mas sim coopera com o amor e com a liberdade das leis naturais.

Nenhuma pessoa pode realizar a tarefa de outra. As experiências pelas quais passamos em nossa jornada terrena são todas aquelas que mais necessitamos realizar para nosso aprimoramento espiritual.

Muitos de nós convivemos, outros ainda convivem, com indivíduos que tentam cuidar de nosso desenvolvimento espiritual, impondo controle excessivo e disciplina perfeccionista, não respeitando, porém, os limites de nossa compreensão e percepção da vida.

São "censuradores morais", incapazes de compreender as dificuldades alheias, pois não entendem que cada alma apenas pode amadurecer de acordo com o grau de desenvolvimento de seu potencial interno.

Não se têm notícias de que Jesus Cristo impusesse cobranças ou tivesse promovido convites insistentes ao crescimento das almas. Teve como missão, na Terra, ensinar-nos serenidade e harmonia, para entrarmos em comunhão com "Deus em nós".

Confiava plenamente no Sábio e Amoroso Poder que dirige o Universo e, portanto, respeitava os objetivos da Natureza, que age no comportamento humano, desenvolvendo-o de muitas maneiras. Sabia que a evolução ocorre de modo inevitável, recebendo ou não ajuda dos homens.

O Mestre entendia que, se combatêssemos e lutássemos contra nossos erros, poderíamos "potencializá-los". Nunca usava de força e imposição, mas de uma técnica para que pudéssemos desenvolver a "virtude oposta".

"Mulher, onde estão aqueles teus acusadores? Ninguém te condenou?" E ela disse: "Ninguém, Senhor." E disse-lhe Jesus: "Nem eu também te condeno; vai-te e não peques mais."[2]

Não censurou ou criticou a atitude inadequada, mas propiciou o desenvolvimento da autoconfiança, para que ela encontrasse por si mesma seus valores internos.

Nunca amadureceremos, se deixarmos os outros pensarem por nós e determinarem nossas escolhas.

Não é a ajuda real, a que se referia Jesus, a crítica moralista, o desejo de reformar os outros, o controle do que se deve fazer ou não fazer. Antes, tais comportamentos revelam os traços de caráter dos indivíduos orgulhosos e ainda distanciados da autêntica cooperação no processo de evolução – que não os deixam perceber – que ocorre naturalmente na intimidade das criaturas.

[1] *Questão 558*

Alguma outra coisa incumbe aos Espíritos fazer, que não seja melhorarem-se pessoalmente?

"Concorrem para a harmonia do Universo, executando as vontades de Deus, cujos ministros eles são. A vida espírita é uma ocupação contínua, mas que nada tem de penosa, como a vida na Terra, porque não há a fadiga corporal, nem as angústias das necessidades."

[2] João 8:10 e 11

Irresponsabilidade

Somos nós mesmos que fazemos os nossos caminhos e depois os denominamos de fatalidade.

Não é coerente que cada um de nós trabalhe para alcançar a própria felicidade? Não é lógico que devemos nos responsabilizar apenas por nossos atos? Não nos afirma a sabedoria do Evangelho que seríamos conhecidos, exclusivamente, pelas nossas obras?

Fazer os outros seguros e felizes é missão impossível de realizar, se acreditarmos que depende unicamente de nós a plenitude de sua concretização. Se assim admitimos, passamos, a partir de então, a esperar e a cobrar retribuição; em outras palavras, a reciprocidade. Não seria mais fácil que cada um de nós conquistasse sua felicidade para que depois pudesse desfrutá-la, convivendo com alguém que também a conquistou por si mesmo? Qual a razão de a ofertarmos aos outros e, por sua vez, os outros a concederem a nós? Por certo, só podemos ensinar ou partilhar o que aprendemos.

Assim disse Pedro, o apóstolo: "Não tenho ouro nem prata; mas o que tenho, isso te dou"[1].

Dessa maneira, vivemos constantemente colocando nossas necessidades em segundo plano e, ao mesmo tempo, nos esquecendo de que a maior de todas as responsabilidades é aquela que temos para com nós mesmos.

Os acontecimentos exteriores de nossa vida são o resultado direto de nossas atitudes internas. A princípio, podemos relutar para assimilar e entender esse conceito, porque é melhor continuarmos a acreditar que somos vítimas indefesas de forças que não estão sob o nosso controle. Efetivamente, somos nós mesmos que fazemos os nossos caminhos e depois os denominamos de fatalidade.

"*Haverá fatalidade nos acontecimentos da vida, conforme ao sentido que se dá a este vocábulo? (...) são predeterminados? E, neste caso, que vem a ser do livre-arbítrio?*", pergunta Kardec aos Semeadores da Nova Revelação. E eles respondem: "*A fatalidade existe unicamente pela escolha que o Espírito fez, ao encarnar (...) Escolhendo-a, instituiu para si uma espécie de destino (...)*"[2]

É inevitável para todos nós o fato de que vivemos, invariavelmente, escolhendo. A condição primordial do livre-arbítrio é a escolha e, para que possamos viver, torna-se indispensável escolher sempre. Nossa existência se faz através de um processo interminável de escolhas sucessivas.

Eis aqui um fato incontestável da vida: o amadurecimento do ser humano inicia-se quando cessam suas acusações ao mundo.

Entretanto, há indivíduos que se julgam perseguidos por um destino cruel e censuram tudo e todos, menos eles mesmos. Recusam, sistematicamente, a responsabilidade por suas desventuras, atribuindo a culpa às circunstâncias e às pessoas, bem como não reconhecem a conexão existente entre os fatos exteriores e seu comportamento mental. No íntimo, essas pessoas não definiram limites em seu mundo interior e vivem num verdadeiro emaranhado de energias desconexas. Os limites nascem das nossas decisões profundas sobre o que acreditamos ser nossos direitos pessoais.

Nossas demarcações estabelecem nosso próprio território, cercam nossas forças vitais e determinam as linhas divisórias de nosso ser individual. Há um espaço delimitado onde nós terminamos e os outros começam.

Algumas criaturas aprenderam, desde a infância, o senso dos limites com pais amadurecidos. Isso as mantêm firmes e saudáveis dentro de si mesmas. Outras, porém, não. Quando atingiram a fase adulta, não sabiam como distinguir quais são e quais não são suas responsabilidades. Muitas construíram muros de isolamento que as separaram do crescimento e da realização interior, ou ainda paredes com enormes cavidades que as tornaram suscetíveis a uma confusão de suas emoções com as de outras pessoas.

Limites são o portal dos bons relacionamentos. Têm como objetivo nos tornar firmes e conscientes de nós mesmos, a fim de sermos capazes de nos aproximar dos outros sem sufocá-los ou desrespeitá-los. Visam também evitar que sejamos constrangidos a não confiar em nós mesmos.

Ser responsável implica ter a determinação para responder pelas consequências das atitudes adotadas.

Ser responsável é assumir as experiências pessoais, para atingir uma real compreensão dos acertos e dos desenganos.

Ser responsável é decidir por si mesmo para onde ir e descobrir a razão do próprio querer.

Não existem "vítimas da fatalidade"; nós é que somos os promotores do nosso destino. Somos a causa dos efeitos que ocorrem em nossa existência.

Aceitar o princípio da responsabilidade individual e estabelecer limites descomplica nossa vida, tornando-nos cada vez mais conscientes de tudo o que acontece ao nosso derredor.

Escolhendo com responsabilidade e sabedoria, poderemos transmutar, sem exceção, as amarguras em que vivemos na atualidade. A autorresponsabilidade nos proporcionará a dádiva de reconhecer que qualquer mudança de rota no itinerário de nossa "viagem cósmica" dependerá, invariavelmente, de nós.

[1] Atos 3:6

[2] Questão 851

Haverá fatalidade nos acontecimentos da vida, conforme ao sentido que se dá a este vocábulo? Quer dizer: todos os acontecimentos são predeterminados? E, neste caso, que vem a ser do livre-arbítrio?

"A fatalidade existe unicamente pela escolha que o Espírito fez, ao encarnar, desta ou daquela prova para sofrer. Escolhendo-a, instituiu para si uma espécie de destino, que é a consequência mesma da posição em que vem a achar-se colocado. Falo das provas físicas, pois, pelo que toca às provas morais e às tentações, o Espírito, conservando o livre-arbítrio quanto ao bem e ao mal, é sempre senhor de ceder ou de resistir. Ao vê-lo fraquear, um bom Espírito pode vir-lhe em auxílio, mas não pode influir sobre ele de maneira a dominar-lhe a vontade. Um Espírito mau, isto é, inferior, mostrando-lhe, exagerando aos seus olhos um perigo físico, o poderá abalar e amedrontar. Nem por isso, entretanto, a vontade do Espírito encarnado deixa de se conservar livre de quaisquer peias."

Irresponsabilidade

O indivíduo que não aceita a responsabilidade por seus atos e, constantemente, cria álibis e recorre a dissimulações, culpando os outros, é denominado imaturo.

Nosso modo de pensar atrai nossas experiências, pois pensar é um contínuo ato de escolher. Evitar não pensar é também uma escolha; portanto, somos nós que fabricamos as fibras que confeccionarão a textura da nossa existência.

Quando selecionamos um determinado comportamento, cujo resultado é possível prever, estamos também escolhendo esse mesmo resultado e, obviamente, devemos aceitar a responsabilidade de tal fato.

Somos responsáveis pela maneira como nos relacionamos com as pessoas, isto é, cônjuges, filhos, parentes, amigos e conhecidos, porque, certamente, ninguém nos obriga a agir desta ou daquela forma, mas, se assim acontecer, é porque nós mesmos cedemos diante da exigência dos outros.

Considerando que nossas atitudes são como grãos de areia, repetindo-as, com certa regularidade, criaremos pequenos montes. Tudo se inicia com diminutos grãos de areia. Inicialmente, formam uma colina, logo depois, um morro e, com a constante repetição dessas mesmas atitudes, erguem-se enormes montanhas e, finalmente, uma cordilheira.

Somos responsáveis por tudo o que experimentamos em nós mesmos; enfim, criamos nossa própria realidade.

"*Pode o homem, pela sua vontade e por seus atos, fazer que não se deem acontecimentos que deveriam verificar-se e reciprocamente? Pode-o, se essa aparente mudança na ordem dos fatos tiver cabimento na sequência da vida que ele escolheu (...)*"[1]

Assim sendo, os Espíritos Sábios afirmam que a mudança de nosso destino somente ocorre quando, realmente, assumimos a responsabilidade por nossa vida, usando de determinação e vontade. Essa transformação, entretanto, não é realizada de um momento para o outro, ou mesmo, não se trata de um simples querer caprichoso; em verdade, é o produto de uma sequência de escolhas ao longo de inumeráveis experiências e acontecimentos.

O indivíduo que não aceita a responsabilidade por seus atos e, constantemente, cria álibis e recorre a dissimulações, culpando os outros, é denominado imaturo.

O homem adulto se caracteriza pelo fato de que ele próprio delimita seu código de conduta moral, já alcançou um certo grau de independência interior e faz seus julgamentos baseado em sua autonomia.

Os amadurecidos atingiram um bom nível de relacionamento consigo mesmos e, consequentemente, com os outros; por isso, resolvem facilmente tanto os conflitos internos como os externos. Dessa maneira, assumem as responsabilidades que lhes competem e estão despertos para a realidade.

A fase primordial da vida se inicia na total inconsciência e, a partir de então, o princípio inteligente progride de maneira gradativa e constante rumo a uma cada vez maior consciência de si, isto é, à crescente iluminação de suas faculdades e atividades íntimas. As criaturas começam a notar primeiramente os princípios que lhes parecem vir de fora e, depois, no decorrer de seu progresso espiritual, percebem que tudo se encontra em sua intimidade. Não é o mundo que se transforma; o que acontece é que elas mudam de níveis de consciência, alterando o mundo em si mesmas.

Em virtude disso, o emérito pensador e escritor espírita Léon Denis resumiu e estruturou, de modo coerente e homogêneo, que o psiquismo dorme no mineral, sonha no vegetal, sente no animal, pensa no hominal e, por fim, atinge vasta habilidade intuitiva na fase angelical, dando prosseguimento a seu processo evolutivo pelo universo infinito.

A proposta do "despertar" das almas é antiquíssima e é encontrada em diversas passagens do Novo Testamento. O apóstolo Paulo, o incomparável divulgador da Boa Nova, escrevendo aos Efésios, no capítulo V, versículo 14, assim se reporta: "Desperta, tu que dormes, e levanta-te dentre os mortos (...)"[2].

Despertar, entretanto, é condição inadiável para que atinjamos as verdades transcendentes, reavivando em nós a consciência para os objetivos essenciais da eternidade.

Todos os esforços da criatura servem a um único objetivo: torná-la mais consciente, isto é, ampliar o seu próprio modo de ver as coisas. Não nos esqueçamos, pois, de que a evolução de nossas almas nada cria de novo; o que ela faz é melhorar, progressivamente, nossa visão sobre aquilo que sempre existiu.

Sobre essa questão, os Espíritos Superiores asseveram, com muita sabedoria, que a alteração no rumo dos acontecimentos, provocada pelo homem, pode dar-se "*(...) se essa aparente mudança na ordem dos fatos tiver cabimento na sequência da vida que ele escolheu (...)*". Portanto, não poderá haver maturidade vivencial sem que o indivíduo se conscientize plenamente de seu livre-arbítrio e de que tudo o que sofre, goza, percebe e experimenta nada mais é do que o reflexo de si mesmo.

[1] *Questão 860*

Pode o homem, pela sua vontade e por seus atos, fazer que se não dêem acontecimentos que deveriam verificar-se e reciprocamente?

"Pode-o, se essa aparente mudança na ordem dos fatos tiver cabimento na sequência da vida que ele escolheu. Acresce que, para fazer o bem, como lhe cumpre, pois que isso constitui o objetivo único da vida, facultado lhe é impedir o mal, sobretudo aquele que possa concorrer para a produção de um mal maior."

[2] *Efésios 5:14*

Crítica

Carmas são estruturados não somente sobre nossos feitos e atitudes, mas também sobre nossas sentenças e juízos, críticas e opiniões.

No Evangelho de Lucas, capítulo VI, versículo 42, o Mestre propõe: "Hipócrita, tira primeiro a trave do teu olho e, então, verás bem para tirar o argueiro que está no olho do teu irmão".

Por projeção psicológica entende-se a atitude de perceber nos outros, com certa facilidade, nossos conflitos e dificuldades, com recusa, no entanto, de vê-los em nós mesmos.

Dependendo do grau de distorção que fazemos dos fatos, para atender a nossas teorias e irrealidades, é que se inicia em nossa intimidade o processo da paranoia. Os paranoicos possuem uma característica peculiar: relacionam qualquer acontecimento do mundo consigo mesmos, ou, melhor dizendo, desvirtuam a realidade dos fatos, trazendo para o nível pessoal tudo o que ocorre em sua volta.

Quanto mais conscientizada for a criatura, tanto mais entende a ordem das coisas e mais as questionará em seu simbolismo. Estar perfeitamente harmonizado e centrado em tudo o que existe é o requisito primordial para atingirmos a plenitude da vida.

Tudo o que criticarmos, veementemente, no exterior encontraremos em nossa intimidade. Isso nos leva a entender que o ambiente em que vivemos é, em verdade, um espelho onde nos vemos exata e realmente como somos.

Se, na exterioridade, algo de inoportuno estiver ocorrendo conosco ou chamando muito a nossa atenção, é justamente porque ainda não estamos em total harmonia na interioridade. Significa que devemos analisar melhor e estudar ainda mais a área correspondente ao nosso mundo íntimo.

Vejamos o que dizem os Embaixadores do Bem sobre quem analisa os defeitos alheios: "*Incorrerá em grande culpa, se o fizer para os criticar e divulgar, porque será faltar com a caridade. Se o fizer, para tirar daí proveito, para evitá-los, tal estudo poderá ser-lhe de alguma utilidade (...)*"[1]

Todas as maldades e eventos desagradáveis que visualizamos fora são somente mensageiros ou intermediários que tornam consciente a nossa parte inconsciente. Tudo o que, realmente, estamos vivenciando no presente é tudo aquilo que estamos precisando neste momento.

Lemos a respeito de um assunto e logo atraímos criaturas que também se interessam pelo mesmo tema. Impressionamo-nos com um artigo de revista e, logo em seguida, sem nunca comentar esse fato com ninguém, aparecem pessoas nos presenteando com livros que abrangem essa matéria.

Esse encadeamento de fatos ou "elos do acaso" tem sua razão de ser, pois se baseia na lei das atrações ou das afinidades. Portanto, todo conhecimento, informação, acontecimento ou aproximação de que verdadeiramente precisamos, por certo, vivenciaremos.

"*(...) Antes de censurardes as imperfeições dos outros, vede se de vós não poderão dizer o mesmo (...)*"[1]

Nossas afirmações diante da vida retornarão sempre de

maneira inequívoca. Carmas são estruturados não somente sobre nossos feitos e atitudes, mas também sobre nossas sentenças e juízos, críticas e opiniões.

Os efeitos sonoros do eco são reflexões de ondas que incidem sobre um obstáculo e retornam ao ponto de origem. Analogamente, poderemos entender o mecanismo espiritual de funcionamento da lei de ação e reação em nossas existências. Atos ou palavras, repetidas sucessivamente, voltarão ecoando sobre nós mesmos; são "veredictos" resultantes de nossas apreciações e estimativas vivenciais.

Todas as nossas suspeitas sistemáticas têm raízes na falta de confiança em nós mesmos, e não nos outros. Por isso:

– se criticamos o comportamento sexual alheio, podemos estar vivendo enormes conflitos afetivos dentro do próprio lar;

– se tememos a desconsideração, é possível termos desconsiderado alguma coisa muito significativa dentro de nossa intimidade;

– se desconfiamos de que as pessoas querem nos controlar, provavelmente não estamos na posse do comando de nossa vida interior;

– se condenamos a hipocrisia dos outros, talvez não estejamos sendo leais com nossas próprias vocações e ideais.

Projetar nossas mazelas e infortúnios sobre alguma coisa ou pessoa não resolve a nossa problemática existencial. Somente quando reconhecermos nossas "traves" – dispositivos interiores que limitam nossa marcha evolutiva – é que poderemos ver com lucidez que, realmente, são elas as verdadeiras fontes de infelicidade, que nos distanciam da paz e da harmonia que tanto buscamos.

[1] Questão 903

Incorre em culpa o homem, por estudar os defeitos alheios?

"Incorrerá em grande culpa, se o fizer para os criticar e divulgar, porque será faltar com a caridade. Se o fizer, para tirar daí proveito, para evitá-los, tal estudo poderá ser-lhe de alguma utilidade. Importa, porém, não esquecer que a indulgência para com os defeitos de outrem é uma das virtudes contidas na caridade. Antes de censurardes as imperfeições dos outros, vede se de vós não poderão dizer o mesmo. Tratai, pois, de possuir as qualidades opostas aos defeitos que criticais no vosso semelhante. Esse é o meio de vos tornardes superiores a ele. Se lhe censurais o ser avaro, sede generosos; se o ser orgulhoso, sede humildes e modestos; se o ser áspero, sede brandos; se o proceder com pequenez, sede grandes em todas as vossas ações. Numa palavra, fazei por maneira que se não vos possam aplicar estas palavras de Jesus: 'Vê o argueiro no olho do seu vizinho e não vê a trave no seu próprio'."

Crítica

O crítico, por vigiar e espreitar sem interrupção os problemas alheios, permanece inconsciente e imobilizado em relação à própria aprendizagem evolucional.

Os dicionários definem crítica como sendo um exame detalhado que visa a salientar as qualidades ou os defeitos do objeto a ser julgado. É comum encontrarmos alguém criticando o trabalho de outro sem tê-lo vivenciado pessoalmente, isto é, desaprovando o que nem sequer tentou fazer. Tudo isso faz parte da incoerência humana.

A crítica nociva é característica de indivíduos que não realizam nada de importante, não enfrentam desafios nem se arriscam a mudanças. Ficam sentados, observando o que as pessoas dizem, fazem e pensam para, depois, filosofar improdutivamente sobre as realizações alheias, usando suas elucubrações dissociadas do equilíbrio. As discordâncias são perfeitamente saudáveis e normais, desde que estejam fundamentadas em fatos concretos e não nos vapores das suposições ou das projeções da consciência.

Há quem diga que a crítica é profissionalizada, por ser um meio fácil e rentável para destacar os incapazes e inabilidosos, tornando-os pessoas importantes e formidáveis. Porém, não por muito tempo.

Os verdadeiros realizadores deste mundo não têm tempo para censuras e condenações, pois estão sempre muito ocupados na concretização de suas tarefas. Ajudam os fracos e inexperientes, ensinando os que não são talentosos, em vez de maldizê-los.

A crítica pode ser construtiva e útil. Cada um de nós pode, livremente, optar entre o papel de ironizar e o de realizar.

A crítica pode ser empregada como forma de inocentar-nos da responsabilidade de nossa própria ineficiência e de atribuir nossas frustrações e fracassos aos que, realmente, são criativos e originais.

Em verdade, para se viver com equilíbrio mental, emocional e social, é necessário, acima de tudo, respeitar os direitos dos outros, assim como queremos que os nossos sejam respeitados.

De acordo com o pensamento da Espiritualidade Maior: "*Da necessidade que o homem tem de viver em sociedade, nascem -lhe obrigações especiais (...) a primeira de todas é a de respeitar os direitos de seus semelhantes (...) Em o vosso mundo, porque a maioria dos homens não pratica a lei de justiça, cada um usa de represálias. Essa é a causa da perturbação e da confusão em que vivem as sociedades humanas.*"[1]

As "represálias" evidenciadas nesta questão podem ser consideradas como as desforras ou as vinganças que, comumente, os indivíduos fazem através de críticas, injúrias, sátiras e depreciações. Nesse tema, é oportuno ressalvar que, em muitas ocasiões, em decorrência das emoções patológicas, é perfeitamente possível pessoas sentirem-se humilhadas, vendo atitudes de arrogância e insulto onde não existem.

No mundo interior dos críticos implacáveis, pode existir uma intimidação, originalmente adquirida na infância, em virtude da autoridade e ameaça dos pais. Vozes do passado ecoam em suas mentes, solicitando, insistentemente, que sejam "pontuais e infalíveis", "exatos e bem informados", "super-responsáveis e controlados".

As exigências do pretérito criaram-lhes um padrão de comportamento mental, caracterizado por constante cobrança e acusação, fazendo com que projetem tudo isso sobre os outros. O medo de cometerem erros e o fato de desconfiarem de si mesmos, conferem-lhes uma existência ambivalente. Vivem, ao mesmo tempo, entre a sensação de perseguição e a de superioridade. Além do mais, quem critica imagina-se sensacional e em vantagem.

Desesperadamente, observam e desconfiam de si mesmos. Exteriorizam e transferem toda essa sensação de auto-acusação, condenando os outros. Essa operação emocional funciona como uma válvula de escape, a fim de compensar a autoperseguição e aplacar as cobranças convulsivas do seu mundo interior.

Os críticos são especialistas em detectar e resolver os problemas que não lhes dizem respeito, mas, contrariamente, possuem uma grave dificuldade em aceitar a sua própria problemática existencial.

A Lei Divina nos dá o livre-arbítrio para escolhermos e concretizarmos nosso programa de aprendizagem, ou seja, livre opção para elegermos o caminho a ser percorrido, para expandirmos nossa consciência. O plano de instrução nos oferecerá duas possibilidades básicas, a saber: a aprendizagem consciente e a inconsciente.

A aprendizagem consciente é aquela em que estamos prontos para agir e resolver as coisas, mediante uma assimilação atuante ou uma participação voluntária.

A aprendizagem inconsciente é a que entrará em vigor, automaticamente, quando desprezamos, conscientemente, a resolução e compreensão do nosso roteiro de instrução. Em resumo: o sofrimento sempre entra em ação, quando não aprendemos espontaneamente.

O crítico, por vigiar e espreitar sem interrupção os problemas alheios, permanece inconsciente e imobilizado em relação à própria aprendizagem evolucional; portanto, sua possibilidade de integralizar novos conceitos e experiências é quase nula. Quanto mais ele projeta a culpa e a acusação ao mundo exterior, recusando cumprir sua aprendizagem conscientemente, mais sofrerá com os reflexos de suas atitudes.

Jesus Cristo, conhecendo os traços de caráter da humanidade terrena em evolução, advertiu-os: "Ouvi-me, vós todos, e compreendei. Nada há, fora do homem, que, entrando nele, o possa contaminar; mas o que sai dele, isso é que contamina o homem."[2]

A tendência em julgar e criticar os outros, com intenção maldosa, recebe a denominação de malícia; em outras palavras, o indivíduo nessas condições vê os outros com os olhos da "própria maldade".

[1] *Questão 877*

Da necessidade que o homem tem de viver em sociedade, nascem-lhe obrigações especiais?

"Certo e a primeira de todas é a de respeitar os direitos de seus semelhantes. Aquele que respeitar esses direitos procederá sempre com justiça. Em o vosso mundo, porque a maioria dos homens não pratica a lei de justiça, cada um usa de represálias. Essa é a causa da perturbação e da confusão em que vivem as sociedades humanas. A vida social outorga direitos e impõe deveres recíprocos."

[2] *Marcos 7:14 e 15*

Ilusão

Somos nós mesmos que nos iludimos, por querer que as criaturas deem o que não podem e que ajam como imaginamos que devam agir.

A criatura humana que modela suas reações emocionais através dos critérios dos outros, estabelece para si própria metas ilusórias na vida. Esquece-se, entretanto, de que suas experiências são únicas, como também únicas são suas reações, e de que o constante estado de desencontro e aflição é subproduto das tentativas de concretizar essas suas irrealidades.

Constantemente, criamos fantasias em nossa mente, bloqueamos nossa consciência e recusamos aceitar a verdade. Usamos os mais diversos mecanismos de defesa, seja de forma consciente, seja de forma inconsciente, para evitar ou reduzir os eventos, as coisas ou os fatos de nossa vida que nos são inadmissíveis. A "negação" é um desses mecanismos psicológicos; ela aparece como primeira reação diante de uma perda ou de uma derrota. Portanto, negamos, invariavelmente, a fim de amortecer nossa alma das sobrecargas emocionais.

Quanto mais sonhos ilógicos, mais cresce a luta para materializá-los, levando certamente os indivíduos a se tornarem prisioneiros de um círculo vicioso e, como resultado, a sofrerem constantes frustrações e uma decepção crônica.

Um exemplo clássico de ilusão é a tendência exagerada de

certas pessoas em querer fazer tudo com perfeição, aliás, querer ser o "modelo perfeito". Essa abstração ilusória as coloca em situação desesperadora. Trata-se de um processo neurótico que faz com que elas assimilem cada manifestação de contrariedade dos outros como um sinal do seu fracasso e a interpretem como uma rejeição pessoal.

O ser humano supercrítico tem uma necessidade compulsória de ser considerado irrepreensível. Sua incapacidade de aceitar os outros como são é reflexo de sua incapacidade de aceitar a si próprio. Sua busca doentia da perfeição é uma projeção de suas próprias exigências internas. O perfeccionismo é, por certo, a mais comum das ilusões e, inquestionavelmente, uma das mais catastróficas, quando interfere nos relacionamentos humanos. Uma pessoa perfeita exigirá apenas companheiros perfeitos.

A sensação de que podemos controlar a vida de parentes e amigos também é uma das mais frequentes ilusões e, nem sempre, é fácil diferenciar a ilusão de controlar e a realidade de amar e compreender.

A ação de controlar os outros se transforma, com o passar do tempo, em um nó que estrangula, lentamente, as mais queridas afeições. Se continuarmos a manter essa atitude manipuladora, veremos em breve se extinguir o amor dos que convivem conosco. Eles poderão permanecer ao nosso lado por fidelidade, jamais por carinho e prazer.

Em outras circunstâncias, agimos com segundas intenções, envolvendo criaturas que nos parecem trazer vantagens imediatas. Em nossos devaneios e quimeras, achamos que conseguiremos lograr êxito, mas, como sempre, todo plano oportunista, mais cedo ou mais tarde, será descoberto. Quando isso acontece, indignamo-nos, incoerentemente, contra a pessoa e não contra a nossa auto-ilusão.

Escolhemos amizades inadequadas, não analisamos suas limitações e possibilidades de doação, afeto e sinceridade e, quando recebemos a pedra da ingratidão e da traição por parte deles, culpamo-los. Certamente, esquecemo-nos de que somos nós mesmos que nos iludimos, por querer que as criaturas deem o que não podem e que ajam como imaginamos que devam agir.

Gostamos de alguém imensamente e alimentamos a ideia de que esse mesmo alguém possa corresponder ao nosso amor e, assim, criamos sonhos românticos entre fantasias e irrealidades.

As histórias infantis sobre príncipes encantados socorrendo lindas donzelas em perigo são úteis e benéficas, desde que não se transformem em ilusórias bases da existência. Elas podem incitar os delírios de uma espera inatingível em que somente um "príncipe de verdade" tem o privilégio de merecer uma "princesa disfarçada", ou vice-versa.

A consciência humana está quase sempre envolvida por ilusões, que impossibilitam, por um lado, a capacidade de autopercepção; por outro, dificultam o contato com a realidade das coisas e pessoas.

Não culpemos ninguém pelos nossos desacertos, pois somos os únicos responsáveis – cada um de nós – pela qualidade de vida que experimentamos aqui e agora.

"*O sentimento de justiça está em a Natureza (...) o progresso moral desenvolve esse sentimento, mas não o dá. Deus o pôs no coração do homem(...)*"[1]

Procuremos auscultar nossas percepções interiores, usando nossos sentidos mais profundos e observando o que nos mostram as leis naturais estabelecidas em nossa consciência. Confiar no sentimento de justiça que sai do coração, conforme asseveram os Guias da Humanidade, é promover a independência de nossos pensamentos e viver com senso de realidade. Aliás, são essas as características mais importantes das pessoas espiritualmente maduras.

Estamos na Terra para estabelecer uma linha divisória entre a sanidade e a debilidade; portanto, é imprescindível discernir o que queremos forçar que seja realidade daquilo que verdadeiramente é realidade. Muitas vezes, podemos estar nos iludindo a ponto de negar fatos preciosos que nos ajudariam a perceber a grandiosidade da Vida Providencial trabalhando em favor de nosso desenvolvimento integral.

[1] *Questão 873*

O sentimento de justiça está em a Natureza, ou é resultado de ideias adquiridas?

"Está de tal modo em a Natureza, que vos revoltais à simples ideia de uma injustiça. É fora de dúvida que o progresso moral desenvolve esse sentimento, mas não o dá. Deus o pôs no coração do homem. Daí vem que, frequentemente, em homens simples e incultos se vos deparam noções mais exatas de justiça do que nos que possuem grande cabedal de saber."

Ilusão

É mais produtivo para a evolução das almas acreditar naquilo que se sente do que nas palavras que se ouvem.

As ilusões que criamos servem-nos, de certa forma, de defesas contra nossas realidades amargas. Embora possam, por um lado, nos poupar das dores momentaneamente, por outro, nos tornam prisioneiros da irrealidade. Para possuir uma mente sã, é preciso que tenhamos a capacidade de aceitação da realidade, jamais fugindo dela.

Muitos de nós conservamos a ilusão de que a posse material proporciona a felicidade; de que o poder e a fama garantem o amor; de que a força bruta protege de uma possível agressão; e de que a prática sexual dá uma integral gratificação na vida. Quase sempre, desenvolvemos essas ilusões na infância com nossos pais, professores, outros parentes, como sendo reais ensinamentos, quando, em verdade, não passam de crenças distorcidas de indivíduos que tinham o dinheiro e o sexo como divindades supremas.

Mesmo quando crescidos e maduros, sentimos medo de abandoná-las. Não será fácil renunciarmos a essas ilusões, se não nos conscientizarmos de que a alegria e o sofrimento não estão nos fatos e nas coisas da vida, mas sim na forma como a mente os percebe. Enquanto usarmos nossa mente, sem que ela esteja ligada a nossos sentidos mais profundos, ficaremos agarrados a esses valores ilusórios.

Às vezes, na denominada educação ou norma social, assimilamos as ilusões dos outros como sendo realidades. Aprendemos, desde a mais tenra idade, que certas emoções são ruins, enquanto outras são boas. Importa considerar, no entanto, que as emoções são amorais e que senti-las é muito diferente do agir com base nelas, eis quando passam a ser uma questão moral/social.

"*Os costumes sociais não obrigam muitas vezes o homem a enveredar por um caminho de preferência a outro (...) O que se chama respeito humano não constitui óbice ao exercício do livre-arbítrio (...) São os homens e não Deus quem faz os costumes sociais. Se eles a estes se submetem, é porque lhes convêm. Tal submissão, portanto, representa um ato de livre-arbítrio (...)*"[1].

Colocar restrições às emoções é como querer segurar as ondas do mar, enquanto colocar restrições ao comportamento humano é perfeitamente possível e válido. São os comportamentos adequados que promovem o bem-estar dos grupos sociais e, inquestionavelmente, são necessários à harmonia da comunidade.

As emoções são simplesmente emoções. É importantíssimo aprendermos a perdoar e sermos compreensivos, desde que façamos isso agindo por livre escolha, não por medo ou por autonegação emocional. Na maioria dos casos, damos a outra face, não por uma capacidade de livre expressão e consciência, mas usando falsas atitudes de compreensão e espontaneidade.

Para que nossos atos e comportamentos sejam verdadeiros, as emoções devem ser percebidas como são e totalmente reconhecidas pela nossa personalidade, a fim de que nossa expressão seja natural, fácil e apropriada às situações.

Identificar uma emoção é diferente de suportá-la. Na identificação, nós a reconhecemos e, a partir daí, agimos ou não; suportar a emoção significa ignorá-la ou simplesmente tentar eliminá-la.

Censurar as emoções é ilusão; seria o mesmo que censurar a própria Natureza. Habitualmente, os pais costumam repreender o filho dizendo que não deveria ter raiva ou medo. Por certo, condenam as crianças por essas emoções e as obrigam a escondê-las, porém eles não conseguem extirpá-las. Ao punirem seus filhos, por estes expressarem suas emoções naturais, talvez não estejam usando o melhor método educativo. Não seria melhor ensinar-lhes os códigos do bom comportamento social, deixando que seu modo de ser flua com naturalidade e equilíbrio, sem anular a personalidade ou torná-los submissos?

Todos os seres humanos nascem com reações emocionais. Encontramos nos bebês emoções de raiva, quando estão impedidos de andar, pegar, brincar, ou seja, movimentar-se livremente. Verificamos também emoções de medo, quando ficam sem apoio, quando se sentem abandonados ou diante de barulhos fortes.

Na infância, se as emoções forem impedidas de se manifestar, irão ocasionar sérios danos no desenvolvimento psicoemocional do adulto, constituindo-se-lhe um obstáculo para atingir a auto-segurança.

A raiva ou o medo são emoções que proporcionam um certo "estado de alerta", que nos mantêm despertos. Sem eles, ficamos impotentes e não conseguimos proteger nossa integridade física nem a psicológica das ameaças que enfrentamos na vida. São eles que nos orientam para a defesa ou para a fuga em situações de risco.

Obviamente, não estamos fazendo alusão às emoções patológicas e irracionais, mas àquelas que, naturais, são essenciais ao crescimento e desenvolvimento dos seres humanos.

Nossos sentidos são tudo o que temos para perceber os recados da vida; contê-los seria o mesmo que destruir o elo com nossa intimidade.

Não sentir é viver em constante ilusão, distanciado do verdadeiro significado da vida. A repressão das emoções inibe o ritmo e a pulsação interna, limita a vitalidade e reduz a percepção. Quando reprimimos uma emoção, por certo estaremos reprimindo muitas outras. Ao reprimirmos nossas emoções básicas (medo e raiva), certamente estaremos reprimindo também as emoções da afetividade. Infelizmente, não conseguiremos lidar com as dificuldades e encontrar soluções, se perdermos o contato com as leis da Natureza, aliás criadas por Deus e que nos regem a todos. É mais produtivo para a evolução das almas acreditar naquilo que se sente do que nas palavras que se ouvem.

[1] *Questão 863*

Os costumes sociais não obrigam muitas vezes o homem a enveredar por um caminho de preferência a outro e não se acha ele submetido à direção da opinião geral, quanto à escolha de suas ocupações? O que se chama respeito humano não constitui óbice ao exercício do livre-arbítrio?

"São os homens e não Deus quem faz os costumes sociais. Se eles a estes se submetem, é porque lhes convêm. Tal submissão, portanto, representa um ato de livre-arbítrio, pois que, se o quisessem, poderiam libertar-se de semelhante jugo. Por que, então, se queixam? Falece-lhes razão para acusarem os costumes sociais. A culpa de tudo devem lançá-la ao tolo amor-próprio de que vivem cheios e que os faz preferirem morrer de fome a infringi-los. Ninguém lhes leva em conta esse sacrifício feito à opinião pública, ao passo que Deus lhes levará em conta o sacrifício que fizerem de suas vaidades. Não quer isto dizer que o homem deva afrontar sem necessidade aquela opinião, como fazem alguns em quem há mais originalidade do que verdadeira filosofia. Tanto desatino há em procurar alguém ser apontado a dedo, ou considerado animal curioso, quanto acerto em descer voluntariamente e sem murmurar, desde que não possa manter-se no alto da escala."

Medo

O resultado do medo em nossas vidas será a perda do nosso poder de pensar e agir com espontaneidade.

Ao lançarmos mão de uma lanterna em uma noite escura e focalizarmos determinado lugar, vamos torná-lo evidente. Quando destacamos algo, convergimos todas as nossas percepções mais íntimas para o motivo de nossa atenção e, ao examiná-lo, estaremos estabelecendo profundas ligações mentais através de nosso olhar ligado a esse lugar específico.

Focalizar com a lanterna de nossas atenções os lugares, as pessoas, os fatos, os eventos e as coisas em geral significa que estaremos enfatizando, para nós mesmos, o que queremos que a vida nos mostre e nos forneça.

"*O Espírito unicamente vê e ouve o que quer. Dizemos isto de um ponto de vista geral e, em particular, com referência aos Espíritos elevados (...)*"[1].

A percepção é um atributo do espírito. Quanto maior o estado de consciência do indivíduo, maior será sua capacidade de perceber a vida, que não se limita apenas aos fragmentos da realidade, mas sim à realidade plena.

Colocar nossa atenção nas coisas da vida é fator importante para o nosso desenvolvimento mental, emocional e espiritual, todavia, é necessário saber direcionar convenientemente nossa percepção e atenção no momento exato e para o lugar certo.

Quanto mais pensarmos e voltarmos nossa atenção para as calamidades e desastres, mais teremos a impressão de que o mundo está limitado à nossa pessoal maneira catastrófica de vê-lo e senti-lo.

Nas oportunidades de crescimento que nos oferecem nossas experiências, temos a possibilidade de validar e potencializar determinadas crenças e conceitos que poderão nos desestruturar psiquicamente, levando-nos a uma verdadeira hipnose mental. A partir disso, esquecemo-nos de visualizar o restante do mundo que nos cerca. Passamos a viver simplesmente voltados para a opinião que adotamos como "única verdade", assustados e amedrontados entre constantes atmosferas de receio e apreensão.

Em muitas ocasiões, ficamos parados à margem do caminho, focalizando nossos conflitos, dificuldades e problemas, deixando a vida girar em torno deles. Colocamos nossos dilemas como peças centrais e, quando essas forças conflitantes começam a nos ameaçar, sentimo-nos apavorados.

O resultado do medo em nossas vidas será a perda do nosso poder de pensar e agir com espontaneidade, pois quem decidirá como e quando devemos atuar será a atmosfera do temor que nos envolve.

Ancorados pelo receio e pela desconfiança, criamos resistências, obstáculos e tropeços que nos impedem de avançar. Passamos, então, a não viver novas experiências, não receber novos pensamentos e não fazer novas amizades, estacionando e dificultando nossa caminhada e progresso íntimo.

As sensações do medo sobrecarregam as energias dos *chakras* do plexo solar e do cardíaco, provocando, quase sempre, uma impressão de vácuo no estômago e um descontrole nas batidas do coração. Contudo, não seríamos afetados por nenhum acontecimento de maneira tão desgastante, se estivéssemos centrados em nós mesmos.

Nosso centro não é nossa mente, nem nossos sentimentos ou emoções, mas é, em verdade, nossa alma – a essência divina por meio da qual testemunhamos tudo o que ocorre dentro e fora de nós.

Cada um vê o universo das coisas pelo que é. Vemos o mundo e as criaturas segundo o nível de desenvolvimento da consciência em que vivemos. Quanto maior esse nível, mais estaremos centrados e vivendo estáveis e tranquilos. Quanto menor, mais teremos um juízo primário de tudo e uma estreita visão dos fatos e das pessoas.

Aprendendo a focalizar e a desfocalizar nossas crises, traumas, medos, perdas e dificuldades, bem como os acontecimentos desastrosos do cotidiano – dando-lhes a devida importância e regulando o tempo necessário, a fim de analisá-los proveitosamente –, teremos metas sempre adequadas e seguras que favorecerão nosso progresso espiritual. Não devemos jamais subestimá-los ou ignorá-los.

Lembremo-nos de que "a beleza não está somente nas flores do jardim, mas, antes de tudo, nos olhos de quem as admira".

[1] *Questão 250*

Constituindo elas atributos próprios do Espírito, ser-lhe-á possível subtrair-se às percepções?

"O Espírito unicamente vê e ouve o que quer. Dizemos isto de um ponto de vista geral e, em particular, com referência aos Espíritos elevados, porquanto os imperfeitos muitas vezes ouvem e veem, a seu mau grado, o que lhes possa ser útil ao aperfeiçoamento."

Medo

Desvendar, gradativamente, nossa "geografia interna", nosso próprio padrão de carências e medos, proporciona-nos uma base sólida de autoconfiança.

Modela e forma a nossa "sombra" tudo aquilo que nós não admitimos ser, tudo o que não queremos descobrir dentro de nós, tudo o que não queremos experimentar e tudo o que não reconhecemos como verdadeiro em nosso próprio caráter. "Sombra" é um conceito junguiano para designar a soma dos lados rejeitados da realidade que a criatura não quer admitir ou ver em si mesma, permanecendo, portanto, esquecidos nas profundezas da intimidade.

Por medo de sermos vistos como somos, nossas relações ficam limitadas a um nível superficial. Resguardamo-nos e fechamo-nos intimamente para sentir-nos emocionalmente seguros.

Presumimos que o "não ver" resulta em "não ter". Em verdade, não nos livramos de nosso lado recusado simplesmente porque fechamos os olhos para ele, mas porque mesmo assim continuará a existir na "sombra" de nossa estrutura mental. Incapaz de voar, o avestruz, embora seja uma das maiores aves, esconde a cabeça no primeiro buraco que encontra à sua frente, quando acuado e amedrontado. Esse comportamento do avestruz é uma metáfora adequada para demonstrar o que tentamos fazer conosco, quando negamos certas realidades de nossa natureza humana.

As coisas ignoradas geram mais medo do que as conhecidas.

Recusar-se a aceitar a diversidade de emoções e sentimentos de nosso mundo interior nos levará a viver sem o controle de nossa existência, sem ter nas mãos as rédeas de nosso destino. Ao assumirmos que são elementos naturais de estrutura humana em evolução frieza/sensualidade, avareza/desperdício, egoísmo/desinteresse, dominação/submissão, lassidão/impetuosidade, aí começa nosso trabalho de autoconhecimento, a fim de que possamos descobrir onde erramos e, a partir de então, encontrar o meio-termo, ou seja, não estar num extremo nem no outro.

Muitas criaturas têm medo de si mesmas. Desvendar, gradativamente, nossa "geografia interna", nosso próprio padrão de carências e medos, proporciona-nos uma base sólida de autoconfiança.

O ato de arrependimento nada mais é do que perceber nosso lado inadequado. É admitir para nós mesmos que identificamos nosso comportamento inconveniente e que precisamos mudar nossas atitudes diante das pessoas e do mundo. Arrependimento pode ser visto como a nossa tomada de consciência de certos elementos que negávamos consciente ou inconscientemente, projetando-os para fora ou reprimindo-os em nossa "sombra".

Arrependimento quer dizer pesar, ou mudança de opinião por alguma falta cometida, vocábulo de uso habitual nas lides religiosas. Tomar consciência é uma expressão moderna que significa discernimento da vida exterior e interior, acrescida da capacidade de julgar moralmente os atos. A nosso ver, ambos os termos nos levam à mesma causa.

O ato de arrependimento é um antídoto contra o medo. Quem se arrependeu é porque examinou suas profundezas e descobriu que seus desejos e tendências nada mais são que impulsos comuns a todos os seres humanos. Quem se arrependeu é porque aprendeu que é simplesmente humano, falível e nem melhor nem pior do que os outros.

Arrepender-se é o primeiro passo para melhorarmos e progredirmos espiritualmente.

O espírito São Luís é taxativo quando diz que todos os espíritos se arrependerão um dia: "*Há os de arrependimento muito tardio; porém, pretender-se que nunca se melhorarão fora negar a lei do progresso e dizer que a criança não pode tornar-se homem*"[1].

As manifestações decorrentes de nossa "sombra" são projetadas por nós mesmos de forma anônima no mundo, sob o pretexto de que somos vítimas, porque temos medo de descobrir em nós a verdadeira fonte dos males que nos alcançam no dia a dia. Por acreditar que banimos de nossa intimidade determinado princípio que nos gerava medo e baixa autoestima, é que fatalmente encontraremos, logo em seguida, esse mesmo princípio materializando-se no mundo exterior, amedrontando-nos e causando-nos desconforto.

Os chamados tiques nervosos nada mais são do que impulsos compulsivos de atos ou a contração repetitiva de certos músculos, desenvolvida de forma inconsciente, para não tomarmos consciência dos conteúdos emocionais que reprimimos em nossa "sombra". Os tiques são compulsões motoras para aliviar emoções e funcionam como verdadeiros "tapumes energéticos" para conter sentimentos emergentes. A técnica funciona da seguinte maneira: enquanto o indivíduo se distrai com o tique, não deixa vir à consciência o que reprimiu, por considerá-lo feio e pecaminoso.

O somatório dessas emoções negadas nos causa medos inexplicáveis que nos oprimem, afastando-nos do verdadeiro arrependimento e prejudicando o nosso crescimento interior. Muitos de nós continuamos, anos a fio, sentindo temores injustificáveis por tudo aquilo que reprimimos e para evitar que pensamentos, recordações ou impulsos cheguem ao consciente.

O medo indefinido provém da repressão de impulsos considerados inaceitáveis que existem dentro de nós, da ausência de contrição de nossas faltas, da não-admissão de nossos erros, descompensando nosso corpo energeticamente com o peso dos fardos do temor e do pânico.

[1] *Questão 1007*

Haverá Espíritos que nunca se arrependem?

"Há os de arrependimento muito tardio; porém, pretender-se que nunca se melhorarão fora negar a lei do progresso e dizer que a criança não pode tornar-se homem." (São Luís)

Medo

Dentre as muitas dificuldades que envolvem a agorafobia, a mais grave é a incerteza de nosso valor pessoal e as crenças de baixa autoestima que possuímos, herdadas muitas vezes na infância.

Quando estamos envolvidos pelo temor, não conseguimos avançar. Deixamos de ter ideias inéditas, de viver experiências interessantes e conhecer novas criaturas. Dessa maneira, apesar de o "banquete da vida" sempre ser oferecido a todos de forma semelhante e harmônica, ele passa despercebido.

Referindo-se à vida social, esclarece-nos a obra basilar da Codificação: "*Deus fez o homem para viver em sociedade. Não lhe deu inutilmente a palavra e todas as outras faculdades necessárias à vida de relação*"[1].

Uma das manifestações do medo mais problemáticas para as criaturas humanas é a denominada fobia social ou agorafobia. Etimologicamente, agorafobia significa medo da praça (ágora = praça, palavra oriunda do grego). É o pavor de fazer o que quer que seja em público.

Conceituamos fobia como sendo um medo superlativo e desmedido transferido a indivíduos, lugares, objetos e situações que, naturalmente, não podem provocar mal algum. Quando a agorafobia se torna crônica, começa a atrapalhar a vida dos indivíduos em todas as áreas do relacionamento humano.

O fóbico social receia ser julgado e avaliado pelos outros,

pois os comportamentos que mais teme são falar, comer e/ou beber diante de outras pessoas, frequentar cursos, palestras, festas, cinemas, ou seja, qualquer atividade social em lugares movimentados.

Dentre as muitas dificuldades que envolvem a agorafobia, a mais grave é a incerteza de nosso valor pessoal e as crenças de baixa autoestima que possuímos, herdadas muitas vezes na infância.

O sentimento de inferioridade é o grande dificultador dos relacionamentos seguros e sadios. Esse sentimento produz uma necessidade de estarmos sempre certos e sempre sendo aplaudidos pelos outros. Tememos mostrar-nos como somos e escondemos nossos erros, convencidos de que seremos desprestigiados perante nossos companheiros e amigos. Dissimulamos constantemente, fazemos pose e forçamos os outros a nos aceitar. Quanto mais o tempo passa e permanecemos nessa atitude íntima, mais a insegurança se avoluma, chegando a alcançar tamanha proporção que um dia passará a nos ameaçar.

Dessa forma, instala-se, gradativamente, a fobia social, ou seja, o medo que desenvolvemos pelos outros, por tanto representar papéis e "scripts" que não eram nossos.

Tabus, irrealidades, superstições, mitos, conceitos errôneos e preconceituosos que assimilamos de forma verbal ou pelos gestos, abrangendo os vários setores do conhecimento humano, como as regras sociais, as higiênicas, as alimentares e as religiosas, são propiciadores de futuras crises das mais variadas fobias.

Diversas matrizes do medo se fixaram na vida infantil. Os pais autoritários e rudes que estabeleceram um regime educacional duro e implacável, impondo normas ameaçadoras e punitivas, criaram na mente das crianças a necessidade de mentir e fantasiar constantemente. Dessa maneira, elas passaram a viver de forma que agradassem a todos numa enorme necessidade de aprovação e numa atmosfera de insegurança. Tais crianças poderão desenvolver no futuro fobias, cujas causas são a doentia preocupação com o desempenho sexual, o exagerado cumprimento de obrigações impostas pela sociedade, uma megalomaníaca atuação profissional, a fanática observância a crenças religiosas perfeccionistas e o procedimento extremista de estar sempre correto em tudo que fala e faz.

O cortejo dos fenômenos fóbicos poderá ser oriundo de conflitos herdados das existências passadas, dos sofrimentos expressivos vividos no plano astral e dos assédios de entidades ignorantes, mas a matriz onde tudo sempre se interliga e que deverá ser trabalhada e tratada é a consciência comprometida e limitada dos indivíduos em desajuste mental.

O medo será sempre a lente que aumentará o perigo. Segundo a excelência do pensamento de Tito Lívio, historiador latino nascido em 59 a. C., "quanto menor o medo, tanto menor o perigo".

[1] *Questão 766*

A vida social está em a Natureza?

"Certamente. Deus fez o homem para viver em sociedade. Não lhe deu inutilmente a palavra e todas as outras faculdades necessárias à vida de relação."

Preocupação

Os preocupados vivem entorpecidos no hoje por quererem controlar, com seus pensamentos e com sua imaginação, os fatos do amanhã.

As tarefas evolutivas executadas por nós na Terra fazem parte de um processo dinâmico que levará nossas almas ainda por inúmeras encarnações. A Vida não tem outro objetivo senão o de doação, de proteção e de recursos, para que possamos atingir uma estabilidade íntima que nos assegure a clareza e a serenidade mental, elementos imprescindíveis que nos facilitarão o progresso espiritual.

Se acreditarmos, porém, que nossa felicidade ou infelicidade venha de coisas externas, do acaso ou das mãos de outras pessoas, estaremos dificultando nosso crescimento e amadurecimento interior.

A criatura que atingiu a lucidez espiritual já adquiriu a capacidade de compreender a eficiência com que a Natureza age em todos nós. Ela se conduz no cotidiano pacificada e serena, pois percebeu que está constantemente ganhando recursos da Vida Excelsa, mesmo quando atravessa o que consideramos "transtornos existenciais". Ao mesmo tempo, aprendeu que, por mais que se preocupe, a reunião de todas essas preocupações não poderá mudar coisa alguma em sua vida.

"(...) O Espírito na escolha das provas que queira sofrer (...)

escolhe, de acordo com a natureza de suas faltas, as que o levem à expiação destas e a progredir mais depressa."[1]

A Providência Divina agindo em nós faz com que saibamos exatamente o que precisamos escolher para nosso aprimoramento interior. Para que a consciência da criatura tenha uma boa absorção ou uma sensível abertura para o aprendizado é preciso que adquira senso e raciocínio, noção e atributos, todos extraídos das suas provas e expiações, ou seja, das diversas experiências vivenciais.

Ainda encontramos nesta questão: "*uns impõem a si mesmos uma vida de misérias e privações (...) outros preferem experimentar as tentações da riqueza e do poder (...) muitos, finalmente, se decidem a experimentar suas forças nas lutas que terão de sustentar em contato com o vício*".

Por que então a nossa desmedida preocupação com o destino dos outros? Por que tentamos forçar as coisas para que aconteçam? As almas estão vivenciando o útil e o necessário para o desenvolvimento de suas potencialidades naturais e divinas. Podemos orientar, amar, apoiar, ajudar, mas jamais achar que sabemos melhor como as coisas devem ser e como as criaturas devem se comportar.

No entanto, é importante não confundirmos preocupação com prudência ou cautela. A previdência e o planejamento, para que possamos atingir um futuro promissor, são desejos naturais dos homens de bom senso.

Na realidade, preocupação quer dizer aflição e imobilização do presente por causa de um suposto fato que poderá acontecer, ou ainda uma suspeita de que uma decisão poderá causar ruína ou perda.

A preocupação excessiva com fatos em geral e com o bem-estar das pessoas está alicerçada, em muitas ocasiões, em um mecanismo psicológico chamado "autodistração".

Os preocupados têm dificuldade de concentração no momento presente e, por isso, fazem com que a consciência se desvie do foco da experiência para a periferia, isto é, vivem entorpecidos no hoje por quererem controlar, com seus pensamentos e com sua imaginação, os fatos do amanhã.

Esse desvio da atenção é uma busca deliberada de distração do indivíduo; é uma forma de impedir a si próprio de ver o que precisa perceber em seu mundo interior.

Quando dizemos que nos preocupamos com os outros, quase sempre estamos nos abstraindo:

– das atitudes que não temos coragem de tomar;
– das responsabilidades que não queremos assumir;
– das carências afetivas que negamos a nós mesmos;
– dos atos incoerentes que praticamos e não admitimos;
– dos bloqueios mentais que possuímos e não aceitamos.

Deslocamos todos os nossos esforços, atenção e potencialidades para socorrer, proteger, salvar, convencer e aconselhar nossos "companheiros de viagem", olvidando muitas vezes, propositadamente ou não, nossa primeira e mais importante tarefa na Terra: a nossa transformação interior.

É incontestável que a preocupação jamais nos preservará das angústias do amanhã, apenas colocará obstáculos às nossas realizações do presente.

Não devemos nem podemos forçar mudanças de atitudes nas pessoas. Em realidade, só podemos modificar a nós mesmos. Nosso livre-arbítrio nos confere possibilidades de uso particular com o fim específico de retificarmo-nos, porém não nos dá o direito de querer modificar os outros.

Acreditamos, ainda assim, que temos o poder de exigir

que os outros pensem como nós e que podemos interferir nas manifestações dos adultos que nos cercam. Por mais queridos que nos sejam, não nos é lícito dissuadi-los de suas decisões e posturas de vida.

Cada um se expressa perante a existência como pode. Assim, suas criações, desejos, metas e objetivos são coerentes com seu grau evolutivo. Qualquer tipo de coação em um modo de ser é profundo desrespeito.

Confiemos na Paternidade Universal que rege a todos, visto que preocupação, em síntese, é desconfiança nas Leis da Vida. Não nos compete determinar ou dirigir as decisões alheias, nem mesmo temos o direito de convencer ninguém ou censurar as opções de vida de quem quer que seja.

Por que condenar os atos e as atitudes de alguém que o próprio "Criador do Universo" deixou livre para decidir? Por que sofrer ou preocupar-se com isso?

[1] *Questão 264*

Que é o que dirige o Espírito na escolha das provas que queira sofrer?

"Ele escolhe, de acordo com a natureza de suas faltas, as que o levem à expiação destas e a progredir mais depressa. Uns, portanto, impõem a si mesmos uma vida de misérias e privações, objetivando suportá-las com coragem; outros preferem experimentar as tentações da riqueza e do poder, muito mais perigosas, pelos abusos e má aplicação a que podem dar lugar, pelas paixões inferiores que uma e outros desenvolvem; muitos, finalmente, se decidem a experimentar suas forças nas lutas que terão de sustentar em contato com o vício."

Preocupação

Toda vida em nós e fora de nós está em constante ritmicidade. Por que, então, desrespeitar os mecanismos de que se utilizam as leis divinas na evolução? Por que nos afligirmos e tentarmos mudar o imutável?

Nossa percepção, hoje, nos esclarece sobre os fatos do ontem, talvez sobre acontecimentos da semana anterior ou, possivelmente, sobre eventos quase esquecidos de anos passados.

Tudo ocorre dentro de um perfeito sincronismo tempo/espaço. Não adianta nos preocuparmos com o nosso processo de aprendizado nem com o dos outros, pois, se alguém não está conseguindo caminhar convenientemente agora, é porque lhe falta algo a fazer, ou mesmo, coisas a aprender. No Universo, tudo obedece a um ritmo natural; as raízes de nossa evolução corporal/espiritual estão arraigadas nas íntimas relações com a Natureza. Em nível mais profundo, somos parte dela.

Vivenciamos conscientemente, a todo instante, os ciclos da Natureza com nossas emoções e sentimentos. Experimentamos desânimo e abatimento no transcurso de um longo período de estiagem; porém, quando a chuva cai, a nossa sensação é de alegria e prazer; ou, durante as tempestades, nossas impressões oscilam desde a apreensão até o medo. Sentimos a alma leve e feliz com o surgimento do sol, nos dias calmos e iluminados.

Há um tempo para tudo. Em verdade, os ritmos que nos governam são inerentes à vida. Também nós, os espíritos domiciliados ou não na Terra física, identificamos nossos ritmos internos através das sensações da dor e do prazer, a fim de avaliarmos o "grau de acerto" de nossos atos e decisões.

Dia e noite, primavera e inverno, amanhecer e entardecer são fases da Natureza, atuando diretamente nos ritmos de nossas ocupações e procedimentos do cotidiano.

Em verdade, a nossa identificação com a Vida Superior se plenifica quando harmonizamos nossos ritmos internos com os ritmos externos da Natureza.

Propõe o professor Rivail aos Nobres Emissários: "*Os seres que habitam cada mundo hão todos alcançado o mesmo nível de perfeição?*" E os Espíritos respondem à questão com sabedoria: "*Não; dá-se em cada um o que ocorre na Terra: uns Espíritos são mais adiantados do que outros*"[1].

Os ritmos interiores dos indivíduos se prendem ao nível evolucional/espiritual de cada um, e toda a vida no Universo está dentro de uma ordem perfeita. Tanto os astros da abóbada celeste, como os seres microscópicos do nosso planeta, todos são regidos por uma Divina Ordem, que mantém trajetórias e órbitas perfeitamente alinhadas, como também os ritmos e os propósitos coerentes com o grau de necessidade e progresso das criaturas e das demais criações.

Embora os ritmos biológicos de uma pessoa difiram completamente dos ritmos de outros seres, podemos encontrar ritmos orgânicos semelhantes em membros de uma mesma espécie.

A ação de inspirar resulta com exata precisão em seu reverso, a ação de expirar. Esta sucessão ou alternância produz um ritmo. Quando suprimimos um deles, o outro também desaparecerá, pois se submetem mutuamente. Por que aquilo que nos parece tão evidente na respiração nos passa despercebido, ou mesmo sem análise alguma, nos outros campos do conhecimento humano?

Os pulmões sustentam a vida orgânica descarregando periodicamente bióxido de carbono e absorvendo oxigênio, que é levado pelo sangue, vitalizando as células, invariavelmente. As atividades celulares nos tecidos permanecem num constante estado de multiplicação, e a respiração é contínua e compassada.

Certos ritmos que nos dirigem são considerados como qualidades inerentes à vida e não podem ser impostos pela exterioridade.

O músculo cardíaco apresenta ritmo espontâneo. As batidas do coração dispõem de seus próprios marca-passos. Na aurícula direita, um minúsculo nódulo, conhecido como "sinus", à feição de um timoneiro numa antiga embarcação romana, possui uma tarefa gigante: marca o ritmo das batidas no "barco da vida". As células nervosas do cérebro detonam frequentes impulsos que, por sua vez, repercutem na ritmicidade das ondas cerebrais, que podem ser registradas pelo eletroencefalograma.

Em todo reino vegetal e animal, a função sexual é um fenômeno periódico, desde a polinização das plantas até o ciclo menstrual das mulheres – que é o resultado direto do aumento e diminuição dos hormônios num ritmo mais ou menos mensal.

Se pudéssemos observar o interior de alguém que está correndo, veríamos, com certa regularidade, a contração de grupos alternados de músculos. Os chamados "flexores" se contraem, fazendo dobrar as articulações; os "extensores" se estendem, fazendo endireitar as articulações.

Toda vida em nós e fora de nós está em constante ritmicidade. Por que, então, desrespeitar os mecanismos de que se utilizam as leis divinas na evolução? Por que nos afligirmos e tentarmos mudar o imutável?

Como é importante caminhar, passo após passo, acompanhando nosso próprio "compasso existencial" e percebendo a hora propícia de mudança!

O dia de hoje nos fornecerá exatamente as oportunidades de que precisamos para compor com estrofes e versos harmônicos o "poema de nossa vida", cuja métrica foi antecipadamente determinada por nós no ontem. Nossas experiências da vida não acontecem por acaso. O Planejamento Divino nada faz sem um desígnio proveitoso; tudo tem sua razão de ser. Não é preciso desespero, nem preocupação; tudo acontece como tem que acontecer.

[1] *Questão 179*

Os seres que habitam cada mundo hão todos alcançado o mesmo nível de perfeição?

"Não; dá-se em cada um o que ocorre na Terra: uns Espíritos são mais adiantados do que outros."

Vício

O viciado é um "conservador", pois não quer correr o risco de se lançar à vida, tornando-se, desse modo, um comodista por medo do mundo que, segundo ele, o ameaça.

Inúmeros indivíduos tomam as mais diferentes atitudes diante da vida, porque diferentes informações lhes foram transmitidas quando eram crianças.

Conceitos diferentes são ensinados para crianças europeias, asiáticas e africanas e todas se desenvolvem acreditando que estão completamente certas, convencidas de que as outras estão totalmente erradas.

O vício pode ser um "erro de cálculo" na procura de paz e serenidade, porque todos queremos ser felizes e ninguém, conscientemente, busca de propósito viver com desprazer, aflição e infelicidade.

Nosso modo de ser no mundo está sendo moldado por nossas atitudes interiores; aliás, estamos, diariamente, aprendendo como desenvolver atitudes cada vez mais adequadas e coerentes em favor de nós mesmos.

Hábitos preferidos se formam através do tempo e se sedimentam com repetidas manobras mentais. O que funcionou muito bem em situações importantes de nossa vida, mantendo nossa ansiedade controlada e sob domínio, provavelmente será reproduzido em outras ocasiões. Por exemplo: se na fase infantil descobrimos que, "quando chorávamos, logo em seguida mamávamos", essa atitude mental poderá ser perpetuada através de um hábito inconsciente que julgamos irresistível.

A estratégia psíquica passa a ser: "quando tenho um problema, preciso comer algo para resolvê-lo". O que a princípio foi uma descoberta compensadora e benéfica mais tarde pode ser um mecanismo desnecessário, tornando-se um impulso neurótico e desagradável em nosso dia a dia.

Existem diversos casos de obesidade que surgiram no clima de lares onde a mãe é superexigente, perfeccionista e dominadora, forçando constantemente a criança a se alimentar, não levando em conta suas necessidades naturais. Pela insistência materna, ela desenvolve o hábito de comer exageradamente, prejudicando o desenvolvimento do senso interior, que lhe dá a medida de quando começar e de quando parar de comer.

A bulimia cria para seus dependentes uma barreira que os separa da realidade e funciona como uma falsa proteção e segurança, pois eles constroem seu mundo de explicações falsas por não perceberem os fatos verdadeiros.

Por outro lado, alguns podem argumentar sobre a ação dos distúrbios glandulares ou genéticos, mas, mesmo assim, a causa fundamental dos problemas se encontra no psiquismo humano que, em realidade, é quem comanda todo o cosmo orgânico.

Geralmente, a obesidade nasce da falta de coragem para enfrentar novas experiências; é a compensação que a "criança carente", existente no adulto, encontra para sentir-se protegida.

"*(...) A lei de conservação lhe prescreve, como um dever, que mantenha suas forças e sua saúde, para cumprir a lei do trabalho. Ele, pois, tem que se alimentar conforme o reclame a sua organização.*"[1]

Paralelamente, encontramos também na dependência da

comida um vício alicerçado no "medo de viver". O temor das provas e dos perigos naturais da caminhada terrena pode nos levar a uma suposta fuga.

Os dependentes negam seu medo e se escondem à beira do caminho. Interrompem a "procura existencial", dificultando, assim, o fluxo do desenvolvimento espiritual que acontece através da busca do novo. A evolução tudo melhora, sempre esteve e sempre estará desenvolvendo, desde os menores reinos da Natureza até as mais complexas estruturas da consciência humana.

O vício aparece constantemente onde há uma inadaptação à vida social. Por incrível que pareça, o viciado é um "conservador", pois não quer correr o risco de se lançar à vida, tornando-se, desse modo, um comodista por medo do mundo que, segundo ele, o ameaça.

Os vícios ou hábitos destrutivos são, em síntese, métodos defensivos que as pessoas assumiram nesta existência, ou mesmo os trazem de outras encarnações, como uma forma inadequada de promover segurança e proteção.

Assim considerando e a fim de nos aprofundar no assunto, para saber lidar melhor com as chamadas viciações humanas, devemos perguntar a nós mesmos:

Como organizamos nossa personalidade? Como eram as crenças dos adultos com os quais convivemos na infância? Que tipo de atos permitimos ou proibimos entrar nesse processo? Quais as linhas de conduta que nos foram fechadas, ou quais os modelos de vida que priorizamos em nossa organização mental?

Somente aí, avaliando demoradamente os antecedentes de nossa vida, é que estaremos promovendo uma autoanálise proveitosa, para identificarmos nossos padrões de pensamentos deficitários, diferenciando aqueles que nos são úteis daqueles que não nos servem mais. Dessa forma, libertamo-nos das compulsões desgastantes e dos hábitos infelizes.

Não nos esqueçamos, contudo, de que, conforme as afirmações dos Nobres Espíritos da Codificação, o homem "*tem que se alimentar conforme o reclame a sua organização*", considerando, obviamente, que todo excesso é produto de uma viciação em andamento.

[1] *Questão 723*

A alimentação animal é, com relação ao homem, contrária à lei da Natureza?

"Dada a vossa constituição física, a carne alimenta a carne, do contrário o homem perece. A lei de conservação lhe prescreve, como um dever, que mantenha suas forças e sua saúde, para cumprir a lei do trabalho. Ele, pois, tem que se alimentar conforme o reclame a sua organização."

Vício

Em verdade, viciados são todos aqueles que se enfraqueceram diante da vida e se refugiaram na dependência de pessoas ou substâncias.

Tradição é ato de transmissão oral ou escrita de costumes, lendas ou fatos levados de geração a geração através dos tempos. Quanto mais antigos, mais notáveis e fora do comum eles se tornam. Uma vez atingida tal dimensão, transformam-se em crenças inquestionáveis.

As criaturas assimilam conceitos simplesmente porque outras, que elas julgam importantes e entendidas, disseram-lhes que são verdadeiros. As crenças de toda espécie começaram geralmente através das histórias e dos costumes criados por alguém. Com o passar dos séculos, entretanto, tornaram-se regras éticas. Crença é a ação de acreditar naquilo que convencionamos adotar como verdade. Evidentemente, algumas são verdadeiras; outras não.

Precisamos revisar nossas concepções sobre os vícios. Não podemos entendê-los como uma problemática que abrange, exclusivamente, delinquentes e vadios. Em verdade, viciados são todos aqueles que se enfraqueceram diante da vida e se refugiaram na dependência de pessoas ou substâncias.

Pelas crenças tradicionalistas, são tachados de criminosos e vagabundos; para nós, no entanto, representam, acima de tudo, companheiros do caminho evolutivo, merecedores de atenção e entendimento. Por serem carentes e sofridos, entregaram sua força de vontade ao poder dos tóxicos, procurando se esquecer de algo que, talvez, nem mesmo saibam: "eles próprios", pois não aguentaram suportar seu mundo mental em desalinho.

A ociosidade pode ser considerada, ao mesmo tempo, "causa e efeito" de todos os vícios.

Reportando-se à ociosidade, assim se manifestaram as Entidades Superiores: "*Haverá Espíritos que se conservam ociosos (...) mas esse estado é temporário e dependendo do desenvolvimento de suas inteligências (...) em sua origem, todos são quais crianças que acabam de nascer e que obram mais por instinto que por vontade expressa*"[1].

Sob o prisma do "efeito", tais considerações podem ser analisadas conforme o que segue abaixo:

Os dependentes são julgados por muitos como criaturas intencionalmente indolentes; por outros, de forma precipitada, como "parasitas sociais", desocupados, improdutivos e preguiçosos. Mas sem qualquer conotação ou justificativa de tirar-lhes a responsabilidade por seus feitos e decisões, não podemos nos esquecer de que o "peso do fardo" que carregam lhes dá tamanha lassidão energética que passam a viver em constante "embriaguez na alma", entre fluidos de abatimento, fadiga e tédio.

Não são inúteis deliberadamente, mas se utilizam, sem perceber, do desânimo que sentem como "estratégia psicológica" para fugirem à decisão de "arregaçar as mangas" e enfrentar a parte que lhes cabe realizar na vida. Adiam sistematicamente seus compromissos, vivem de uma maneira no presente e dizem que vão viver de outra no futuro.

Aqui está um possível raciocínio de que se utilizam: "Sei que devo trabalhar para me realizar, mas, como desconfio de minha capacidade, temo não fazer direito", ou mesmo, "O que gosto de fazer não será aprovado pelos outros; por isso, digo a mim mesmo e aos outros que o farei no futuro. Agindo assim, não terei que admitir que não vou fazê-lo". Os toxicômanos são criaturas de caráter oscilante, não desenvolveram o senso de autonomia, vivem envolvidos numa aura fluídica de indecisão e imobilização por consequência da própria reação emocional em desajuste.

Protelam as coisas para um dia que, talvez, nunca chegará. Fixam-se ao consumo cada vez maior de produtos narcóticos, enquanto desenvolvem atitudes emocionais que os levam à subjugação a pessoas e situações.

A ociosidade como "causa" das viciações pode ser estudada da seguinte maneira:

As velhas crenças religiosas continuam afirmando que a felicidade dos bem-aventurados consiste na vida contemplativa, no repouso absoluto nos céus, em uma eterna e fastidiosa inutilidade. Asseguram também, em contrapartida, que os infernos são destinados aos espíritos culpados. Conduzidos forçosamente a um mundo de expiações eternas, sem meios de reparação, ficariam condenados a viver eternamente as dores do fogo e o sofrimento não menos cruel da eterna ociosidade.

As crenças no poder dos "melhores", ou seja, dos aristocratas, fortificaram-se ainda mais no tempo dos patriarcas, das sociedades greco-romanas. Expandindo-se, essas ideias fizeram com que os homens formassem unidades produtivas com base no escravismo. As vilas romanas e gregas possuíam dezenas de criados/cativos para satisfazer a todas as necessidades dos patrícios, para que vivessem no fastio e na inutilidade.

Durante séculos, a escravidão no Brasil foi aceita sem que as classes dominantes questionassem a legitimidade dos cativeiros. Os senhores de engenho se justificavam dizendo que resgatavam os negros do paganismo em que viviam para a conversão cristã, o que lhes facultava a redenção dos pecados e lhes abria as portas da salvação. Na realidade, ocultavam suas verdadeiras intenções: a mão de obra lucrativa, que lhes permitia a vida fácil de esbanjamento com seus familiares, para manter a aparência social.

Aprendemos com as sociedades absolutistas do passado que a ociosidade era uma peça importante na vida. Na corte, as etiquetas, jogos, bailes e saraus eram as atividades mais comuns da nobreza.

Assim pensavam os nobres na época de Luís XIV da França: "Somos uma classe que não ganha dinheiro pelo trabalho, mas o temos pela nossa genealogia; não queremos ser confundidos com os poupadores vulgares, que são a gentinha da burguesia." Pode-se afirmar que, até poucas décadas atrás, a grande maioria também assim raciocinava.

As regras e costumes do passado pesam sobre todos nós. Somos espíritos milenares, encarnando sucessivas vezes, adquirindo experiências e assimilando crenças, algumas verdadeiras, outras não, repetindo o que escrevemos inicialmente. Essa é a razão da necessidade de revisar nossos conceitos.

Disse certa feita Sócrates: "Não é ocioso apenas o que nada faz, mas também o que poderia empregar melhor o seu tempo". A ociosidade é uma porta que se abre para os vícios, é uma casa sem paredes; as "serpentes" podem entrar nela por todos os lados.

[1] *Questão 564*

Haverá Espíritos que se conservem ociosos, que em coisa alguma útil se ocupem?

"Há, mas esse estado é temporário e dependendo do desenvolvimento de suas inteligências. Há, certamente, como há homens que só para si mesmos vivem. Pesa-lhes, porém, essa ociosidade e, cedo ou tarde, o desejo de progredir lhes faz necessária a atividade e felizes se sentirão por poderem tornar-se úteis. Referimo-nos aos Espíritos que hão chegado ao ponto de terem consciência de si mesmos e do seu livre-arbítrio; porquanto, em sua origem, todos são quais crianças que acabam de nascer e que obram mais por instinto que por vontade expressa."

Solidão

Declarar de modo geral que o divórcio é sempre errado é tão incorreto quanto assegurar que está sempre certo.

Sofremos de solidão toda vez que desprezamos as inerentes vocações e naturais tendências de nossa alma. Assim que nos distanciamos do que realmente somos, criamos um autodesprezo, passando, a partir daí, a desenvolver um sentimento de soledade, mesmo rodeados das pessoas mais importantes e queridas de nossa vida.

Na auto-rejeição, esquecemos de perceber a presença de Deus vibrando em nossa alma; logo, anulamos nossa força interior. É como se esquecêssemos a consciência de nós mesmos.

Para que nossa essência emerja, é preciso abandonarmos nossa compulsão de fazer-nos seres idealizados, nossa expectativa fantasiosa de perfeição e nosso modelo social de felicidade. Somente assim, exterminamos o clima de pressão, de abandono, de tensão e de solidão que sentimos interiormente, para transportarmo-nos para uma existência de satisfação íntima e para uma indescritível sensação de vitalidade.

A renúncia de nosso eu idealizado nos dará uma sensação de renascimento e uma atmosfera de liberdade como nunca antes havíamos sentido.

O ser idealizado é uma fantasia mental. É uma imitação

inflexível, construída artificialmente sobre uma combinação de dois básicos comportamentos neuróticos, a saber: adotar padrões existenciais super-rígidos, impossíveis de serem atingidos, e alimentar o orgulho de acreditar-se onipotente, superior e invulnerável.

A coexistência desses dois modos de pensar ocasiona frequentes estados de solidão, tristeza habitual e sentimentos mútuos de vazio e aborrecimento na vida afetiva de um casal.

O amor e o respeito a nós mesmos cria uma atmosfera propícia para identificarmos nossa verdadeira natureza, isto é, nossa identidade de alma, facilitando nosso crescimento espiritual e, por conseguinte, proporcionando-nos alegria de viver.

Quase todos nós crescemos ansiosamente querendo ser adequados e certos para o mundo, porque acreditamos que não somos suficientemente bons para ser amados pelo que somos. Por isso, procuramos, desesperadamente, igualar-nos a uma imagem que criamos de como deveríamos ser. O esforço metódico para sustentar essa versão idealizada é responsável por grande parte dos nossos problemas de relacionamento conosco e com os outros.

Entre todos os problemas de convivência, o de casais, talvez, seja um dos mais comuns entre as pessoas. Todavia, todos nós queremos companhia e afeto, mas para desfrutarmos uma união amorosa, madura e equilibrada é preciso, acima de qualquer coisa, respeitar o direito que cada criatura tem de ser ela mesma, sem mudar suas predileções, ideias e ideais.

Os traços de personalidade não são futilidades, teimosia ou manias. Cada parceiro tem seus "direitos individuais" de manter sua parcela de privacidade e preferências.

Para tanto, o diálogo compreensivo, a renúncia aos próprios

caprichos, o compromisso de lealdade são fatores imprescindíveis na vida a dois, que não pode permitir a confusão de "direitos individuais" com direitos individualistas, com vulgaridade, com cobrança e com leviandade.

Eis a razão de viver bem consigo mesmo: tudo passa, pois todos somos viajores do Universo, porém só nós viveremos eternamente com nós mesmos.

A complexidade maior das dificuldades nos matrimônios talvez seja a não-valorização dos verdadeiros sentimentos, que força um dos parceiros, ou mesmo ambos, a contrariar sua natureza para satisfazer as opressões, intolerâncias e imposições do outro. Ninguém pode ser feliz assim, subordinando-se ao que o cônjuge quer ou decide.

"*(...) a indissolubilidade absoluta do casamento. (...) "É uma lei humana muito contrária à da Natureza. Mas os homens podem modificar suas leis; só as da Natureza são imutáveis.*"[1]

Declarar de modo geral que o divórcio é sempre errado é tão incorreto quanto assegurar que está sempre certo. Em algumas circunstâncias, a separação é um subterfúgio para uma saída fácil ou um pretexto com que alguém procura esquivar-se das responsabilidades, unicamente.

Há uniões em que o divórcio é compreensível e razoável, porque a decisão de casar foi tomada sem maturidade e somente na busca egoística de sexo e prazer. São diversos os equívocos e desencontros humanos.

Em outros casos, há anos de atitudes de desrespeito e maus-tratos, como também há os que impedem o crescimento do outro. São variadas as necessidades da alma humana e, muitas vezes, é melhor que os parceiros se decidam pela separação a permanecerem juntos, fazendo da união conjugal uma hipocrisia e um verdadeiro tormento. No entanto, em todas as atitudes e acontecimentos da vida, só a própria consciência do indivíduo pode fazer o autojulgamento, ou seja, com base nas carências, necessidades e dificuldades da vida dois, "decidir se deseja continuar ou partir".

Todos os livros sacros da humanidade têm como máxima ou mandamento o amor. A base de todo compromisso é o amor. O amor enriquece mutuamente as pessoas e é responsável pela riqueza do seu mundo interior.

A estrutura do verdadeiro ensino religioso nos deve unir amorosamente uns aos outros e não nos manter unidos pela intimidação, pelo medo do futuro ou pelas convenções sociais.

O ensino espírita, propagado pelo "O Livro dos Espíritos", nos faz redescobrir o sentimento de religiosidade inato em cada criatura de Deus. Religiosidade é o que possuía Allan Kardec em abundância, pois enxergava os fatos da vida com os olhos da alma, quer dizer, ia além dos recursos físicos, usando os sentidos da transcendência a fim de encontrar a verdade escondida atrás dos aspectos exteriores.

O eminente professor Rivail entendia que o verdadeiro sentido da religião deve consistir na busca da liberdade, no culto da verdade e na clara distinção entre o temporal/passageiro e o real/permanente.

Estar com alguém por temor religioso é diferente de estar com alguém por amor. Somente o amor tem significado perante a Divina Providência.

Lembremo-nos de que a solidão aparece, quando negamos nossos sentimentos e ignoramos nossas experiências interiores. Essa forma comportamental tende a fazer-nos ver as coisas do jeito como queremos ver, ou seja, como nos é conveniente, em vez de vê-las como realmente são. Assim é que distorcemos nossa realidade.

Não rejeitemos o que de fato sentimos. Isso não quer dizer viver com liberdade indiscriminada e sem controle, mas sim reconhecer o devido lugar que corresponda aos nossos sentimentos, sem ignorá-los, nem tampouco deixá-los ser donos de nossa vida.

Se devemos permanecer ou não ao lado de alguém, é decisão que se deve tomar com espontaneidade, harmonia e liberdade, sem mesclas de medo ou imposições.

[1] *Questão 697*

Está na lei da Natureza, ou somente na lei humana, a indissolubilidade absoluta do casamento?

"É uma lei humana muito contrária à da Natureza. Mas os homens podem modificar suas leis; só as da Natureza são imutáveis."

Solidão

Ouçamos com os ouvidos internos, pois ninguém pode assimilar bem uma experiência que não provenha de sua própria orientação interior.

Segundo Pascal, o grande pensador científico-filosófico do século XVII, "a verdadeira natureza do homem, seu verdadeiro bem, sua verdadeira virtude e a verdadeira religião são coisas cujo conhecimento é inseparável."

Nem sempre a solidão pode ser encarada como dor ou insânia. É, em muitas ocasiões, períodos de preparação, tempos de crescimento, convites da vida ao amadurecimento.

De acordo com o pensamento de Pascal, o âmago do ser está intimamente ligado ao bem, à virtude e à religião. É justamente nas "épocas de solidão" que conseguimos a motivação necessária para estabelecer a verdade sobre esse fato.

Na solidão, é que encontramos sanidade para nosso mundo interior, respostas seguras para nossos caminhos incertos e nutrição vitalizante para os labores que enfrentamos em nossa viagem terrena.

Nestes nossos apontamentos sobre a solidão, não estamos nos referindo à "tristeza de estar só", mas sim, necessariamente, à "quietude íntima", tão importante e saudável para que façamos um trabalho de autoconsciência, valorizando as nuances de nossa vida interior.

Muitos indivíduos vivem dentro de um ciclo diário estafante. Realizam suas atividades num ambiente de competitividade, agitação, pressa e rivalidade, vivendo em constante tensão psicológica e, por consequência, alterando suas funções fisiológicas. Por viverem num estado de cansaço e desgaste contínuos, não conseguem fazer uma real interação entre o meio ambiente e seu mundo interno, o que ocasiona sérios problemas de convivência e inúmeros conflitos pessoais.

Nem sempre é possível abandonarmos a vida alvoroçada, os ruídos e as músicas estridentes, talvez seja até mesmo uma tarefa custosa; mas é perfeitamente realizável dedicarmos algum tempo ao silêncio, retirando-nos para momentos de reflexão.

Nos instantes de silêncio, exercitamos o aprendizado que nos levará a abrir um canal receptivo à Consciência Divina. É nesse momento que ficamos cientes de que realmente não estamos sozinhos e que podemos entrar em contato com a voz da consciência. A voz de Deus, por assim dizer, começará a "falar em nós".

Inúmeras criaturas criam uma mente agitada por temerem que estão vazias, pensam não haver nada dentro delas que lhes dê proteção, apoio e segurança. Acreditam que são uma casca que precisa exclusivamente de sustentação exterior; por isso, continuam ocupando a casa mental ansiosamente, obstruindo seu acesso à luz espiritual.

A mente pode ser uma ajuda efetiva, ou mesmo um obstáculo ferrenho na escolha da melhor direção para atingirmos o amadurecimento íntimo. A crença em nossa limitação é que faz com que restrinjamos nossa mente. Isso se agrava quando envolvemo-la no burburinho de vozes, no tumulto e na agitação do cotidiano, passando assim a não avaliarmos corretamente seu verdadeiro potencial.

São muitos os caminhos de Deus, e a solidão pode ser um deles. "E saindo, foi, como costumava, para o Monte das Oliveiras; e também os seus discípulos o seguiram."[1]

Jesus Cristo, constantemente, retirava-se para a intimidade que o silêncio proporciona, pois entendia que a elevação de alma somente é possível na "privacidade da solidão".

O Cristo Amoroso sabia que, quando havia silêncio no coração e no intelecto, estabeleciam-se as bases seguras da relação entre a criatura e o Criador, proporcionando a percepção de que somos unos com a Vida e unos com todos os seres.

"*(...) buscam no retiro a tranquilidade que certos trabalhos reclamam. (...) Isso não é retraimento absoluto do egoísta. Esses não se insulam da sociedade, porquanto para ela trabalham.*"[2]

A Espiritualidade Maior entende que, nos retiros de tranquilidade, criamos uma sustentação interior, que nos permite sintonizar com as leis divinas e com os valores reais da consciência cristã.

Ouçamos com os ouvidos internos, pois ninguém pode assimilar bem uma experiência que não provenha de sua própria orientação interior.

Ninguém é capaz de seguir sua verdadeira estrada existencial, se não refletir sobre sua essência. Não encontraremos o caminho de que verdadeiramente necessitamos, se nós mesmos não o buscarmos, usando nossos inerentes recursos da alma para perceber as inarticuladas orientações divinas em nós.

Somente cada um pode interpretar as razões da Vida em si mesmo.

Adotemos o aprendizado com o Senhor Jesus, exemplificado no Horto das Oliveiras: retiremo-nos para um lugar à parte e cultivemos os interesses de nossa alma.

Se não encontrarmos um recanto externo que facilite a meditação, nem alguma paisagem mais afastada junto à Natureza, onde possamos repousar da inquietação da multidão, mesmo assim poderemos penetrar o nosso santuário íntimo.

Sigamos o Mestre, recolhendo-nos na solidão e no silêncio do templo da alma, onde exclusivamente encontraremos as reais concepções do amor e da justiça, da felicidade e da paz, de que todos temos direito por Paternidade Divina.

[1] *Lucas 22:39*

[2] *Questão 771*

Que pensar dos que fogem do mundo para se votarem ao mister de socorrer os desgraçados?

"Esses se elevam, rebaixando-se. Têm o duplo mérito de se colocarem acima dos gozos materiais e de fazerem o bem, obedecendo à lei do trabalho."

Questão 771 – a

E dos que buscam no retiro a tranquilidade que certos trabalhos reclamam?

"Isso não é retraimento absoluto do egoísta. Esses não se insulam da sociedade, porquanto para ela trabalham."

Culpa

As religiões foram criadas para retirar as criaturas da convenção e transportá-las à espiritualização, mas, na atualidade, algumas religiões se transformaram nas próprias convenções sociais.

Inúmeras crenças religiosas têm sido imensamente nocivas ao desenvolvimento das criaturas, pois usam frequentemente a culpa como forma de atemorizar. Com isso, obtêm a submissão dos indivíduos, conduzindo-os a seu bel-prazer.

Utilizam-se de comportamentos manipuladores baseados em crenças punitivas. Um dos conceitos mais apregoados é o de que a Divina Providência age através do castigo e da vingança e de que Deus, quando se decepciona conosco, impede-nos de desfrutar e participar das benesses do Reino dos Céus.

"*A doutrina do fogo eterno (...) não produzirá bom resultado. (...) Se ensinardes coisas que mais tarde a razão venha a repelir, causareis uma impressão que não será duradoura, nem salutar.*"[1]

As religiões foram criadas para retirar as criaturas da convenção e transportá-las à espiritualização, mas, na atualidade, algumas religiões se transformaram nas próprias convenções sociais.

Abordaremos agora algumas mensagens que produzem culpa e consequentemente infelicidade no íntimo das criaturas:

"Vocês desobedeceram às leis divinas, mas, se sofrerem bastante, talvez serão perdoados".

"Vocês não entrarão na Casa de Deus, a menos que se sacrifiquem muito pelos necessitados".

"Se vocês amassem ao Pai, não ousariam ter a atitude que tiveram".

A culpa é frequentemente difundida por religiosos ortodoxos de forma consciente e até mesmo inconsciente, como meio de, produzindo temor nos fiéis, estabelecer dependência religiosa e determinar comportamentos e posturas de vida que acreditam ser corretas e convenientes às suas "nobres causas missionárias".

Esquecem-se, porém, de que cada ser tem uma idade astral, que lhe permite ver e compreender a existência de forma específica e privativa. Também não se lembram de que a totalidade das culpas de um indivíduo não poderá transformar seu comportamento passado nem mesmo suas atitudes do presente. Portanto, a única forma possível de levá-lo a uma transformação interior é a mudança de entendimento e de atitude.

Somente através de uma real conscientização é que se estabelece o processo de amadurecimento das criaturas. Em outras palavras, tal conscientização se dá pelo somatório de suas experiências vivenciadas através do tempo, nunca pela imposição ou pelo receio.

"Sacrifique-se pelos necessitados" poderá ser uma recomendação equivocada, quando endereçada a uma pessoa psicologicamente fragilizada, pois, se ela não consegue nem mesmo ajudar a si mesma, obviamente se sentirá culpada por não conseguir ajudar o próximo.

Ela até poderá estar provida de boa vontade e tentar fazer alguma coisa, mas não conseguirá efetuar uma real ajuda, visto que é tão necessitada que dentro de si não há senão escuridão e desequilíbrio. Então, como poderá cooperar convenientemente com os outros?

Só poderemos prestar auxílio a alguém que estiver se afogando se soubermos nadar. Como ajudá-lo, se estivermos também nos afogando?

Na realidade, criaturas imaturas se consideram profundamente culpáveis, porque valorizam em excesso o que os outros dizem e pensam. Por lhes faltar independência interior, nem sempre reúnem condições de julgar seu próprio comportamento, pensamentos e emoções, responsabilizando-se pelas consequências que tais atos causam sobre elas.

Não creem que Deus lhes fala diretamente; ao contrário, necessitam de homens que se autodenominam "iluminados", para conduzi-las, conforme julguem correto e justo. São infelizes. Quando não se culpam, atribuem culpa aos outros. Não percebem que são elas mesmas que determinam o seu destino!

A culpa não encontraria abrigo em nossa alma, se tivéssemos uma ampla fé no amor de Deus por nós e se acreditássemos que Ele habita em nosso âmago e sabe que somos tão bons e adequados quanto permite nosso grau de conhecimento e de entendimento sobre nossa vida interior e também exterior.

[1] *Questão 974*

Donde procede a doutrina do fogo eterno?

"Imagem, semelhante a tantas outras, tomada como realidade."

Questão 974 – a

Mas, o temor desse fogo não produzirá bom resultado?

"Vede se serve de freio, mesmo entre os que o ensinam. Se ensinardes coisas que mais tarde a razão venha a repelir, causareis uma impressão que não será duradoura, nem salutar."

Culpa

Aprenderam a vestir a túnica de "super-heróis", tentando satisfazer e suprir as necessidades da família, e se culpavam quando não conseguiam resolver esses problemas.

Sábios são aqueles que acumularam conhecimentos não somente através do estudo das ciências, mas também pela prática e pela observação.

Sabedoria, portanto, é a soma de nossos conhecimentos coerentes obtidos em contato com os diversos acontecimentos da vida; não apenas o que foi adquirido pela instrução acadêmica, mas, acima de tudo, pelas experimentações, vivências, atividades e realizações nas mais variadas áreas, seja na atual existência, seja nas múltiplas encarnações que tivemos pelas noites dos tempos. Sensatez, prudência, desempenho e erudição são patrimônios intransferíveis da alma humana, alicerçados na intimidade do próprio ser.

Dessa maneira, podemos entender que, quanto mais impedirmos as pessoas com as quais convivemos de agir e de pensar por si mesmas, mais estaremos dificultando suas oportunidades de amadurecimento e de crescimento espiritual. Os empreendimentos que os outros elegeram como os melhores para si deverão ser respeitados, pois os direitos naturais do homem lhes garantem a possibilidade de tomar decisões, errar, aprender, crescer, mudar e julgar a si mesmos.

Problemas são estímulos que a Vida nos apresenta para nos autoconhecer. Portanto, os fatos de nossa existência possuem valores imprescindíveis para nosso desenvolvimento interior e são de importância fundamental para o nosso interagir em face desses mesmos acontecimentos.

Alguns de nós aprendemos que deveríamos ser responsáveis pela felicidade dos outros, usando uma postura de "tomar conta", ou seja, de supervisionar, comandar, insistir, seduzir, chorar, acusar, subornar, espionar, produzindo culpa em nós e nos outros e pedindo intervenções milagrosas, a fim de redimirmos e salvarmos as almas de nossos entes mais queridos.

Muitos indivíduos trazem um comportamento psicológico inadequado, adquirido desde a mais tenra idade, pela longa convivência com familiares difíceis e criaturas problemáticas que se diziam incapazes de se cuidar e se defender. Em decorrência disso, essas crianças assumiram responsabilidades que não lhes pertenciam e, para que pudessem sobreviver emocionalmente no lar em desajuste, aprenderam a vestir a túnica de "super-heróis", tentando satisfazer e suprir as necessidades da família, e se culpavam quando não conseguiam resolver esses problemas.

Passaram a viver para controlar e proteger pais, irmãos, outros parentes, amigos e conhecidos à sua volta, preocupando-se, neurótica e compulsoriamente, em solucionar as dificuldades ou equacionar a vida dessas pessoas.

Desenvolveram ao longo do tempo relacionamentos doentios, nunca se preocupando com o que eles próprios sentem ou desejam, mas somente se interessando por aquilo que os outros estão sentindo e pensando. Trazem como lema "sua dificuldade é meu problema" ou "sua vontade é minha vontade", assumindo obrigações pelo bem-estar, comportamento, decisões, emoções, pensamentos ou mesmo pelo destino de outras pessoas.

Não estamos nos referindo a atos de verdadeira caridade, compaixão e bondade, em que realmente a assistência é requisitada e desejada, mas sim ao ato neurótico de "tomar conta". Por acreditarmos que as pessoas são "vítimas do mundo" e incapazes de cuidar de si mesmas, assumimos essa atitude salvacionista. Podemos traduzi-la como uma maneira de agir subestimando a capacidade dos indivíduos de crescer e evoluir. Capacidade essa que herdamos por direito divino.

A Providência Divina nos convoca a ser participantes na vida dos outros, jamais controladores.

"Tem meios o homem de distinguir por si mesmo o que é bem do que é mal. (...) Deus lhe deu a inteligência para distinguir um do outro."[1] Através da inteligência e do livre-arbítrio, ele consegue discernir e optar entre um e outro.

A Onipresença Divina nos garante Deus em toda parte, como também dentro de cada um de nós, e nos concede missões equivalentes ao nosso degrau evolutivo. Portanto, "Deus em nós" guia-nos sempre de maneira que possamos solucionar dificuldades apropriadas às nossas possibilidades evolutivas. Não devemos utilizar indevidamente a palavra "caridade" como justificativa para continuarmos a fazer aos outros o que eles sabem, podem e são capazes de fazer.

Dessa forma, procuremos não distorcer a mensagem de Jesus Cristo sobre o "amor ao próximo", visto que o auxílio real entre as criaturas está alicerçado nas trocas benéficas a que todos nós somos convocados a realizar, mas devemos aprender quando não dar e quando não executar tarefas da responsabilidade de outras pessoas, pois isso também faz parte da "Lei do Amor".

[1] *Questão 631*

Tem meios o homem de distinguir por si mesmo o que é bem do que é mal?

"Sim, quando crê em Deus e o quer saber. Deus lhe deu a inteligência para distinguir um do outro."

Culpa

Viver em paz com nossa experiência sexual atual, valorizando nosso aprendizado e, em tempo algum, culpar-nos ou atribuir culpa a alguém.

A sexualidade é a área em que a culpa mais floresce na sociedade. Como pouco sabemos sobre ela, ficamos praticamente confinados às ideias e opiniões alheias. Nossa limitação na compreensão dos outros seres humanos se deve ao pouco ou a quase nada que sabemos sobre nós mesmos, ou seja, ao desconhecimento de nossa sexualidade. Por isso é que temos dificuldade de admitir a diversidade de sentimentos e emoções afetivas e sexuais.

Confundimos constantemente a nossa habilidade para o sexo com a nossa capacidade sexual. Por acreditarmos saber distinguir a diferença biológica entre o macho e a fêmea, julgamos conhecer tudo sobre o conjunto dos fenômenos sexuais que se podem observar nos seres vivos.

Na atualidade, as crianças são introduzidas prematuramente na esfera dos adultos por inúmeras revistas, filmes, cartazes, fotografias e pela publicidade da televisão e do rádio, o que lhes provoca a malícia numa idade desprovida da lógica e do bom senso contra essa espécie de afronta sexual.

Desde cedo, os ensinamentos de valores éticos e morais deverão ser ministrados aos menores, para que eles possam absorver, inconscientemente, através dos gestos, atos, ideias e palavras dos pais, tudo o de que necessitam para formar um padrão normal psicossexual e emocional.

Orientar, a nosso ver, não é a mesma coisa que educar. A educação sexual é assimilada, basicamente, na experiência de vida no lar; traz a marca ou o caráter distintivo e particular dos pais. Já a orientação sexual engloba métodos de ensino, informação e notícias transmitidas e/ou aplicadas à criança pelos parentes, religiosos, professores, psicólogos, médicos e outros profissionais especializados.

Ainda que os pais não tenham fornecido, intencionalmente, educação sexual aos filhos, mesmo assim as crianças formaram hábitos, conceitos e ideias sobre o sexo, absorvidos no dia a dia da vida familiar nos mais diversos exemplos que recolheram dos atos e crenças dos adultos.

Noções, crendices, preconceitos e concepções já existem nas crianças, pois são frutos de suas existências pretéritas. Além disso, somam-se à sua "bagagem espiritual" as ocorrências e aprendizagem da vida atual. É importante, no entanto, para desenvolver adultos maduros e ajustados psicossexualmente, fundamentar o ensino da orientação sexual sobre métodos pedagógicos e psicológicos de cunho reencarnacionista, pelos quais os menores são observados como almas milenares e educados sob uma atmosfera de vida eterna.

Em certas circunstâncias evolutivas, encarnamos como homem; em outras, como mulher. E, ainda, em determinadas oportunidades de aprendizagem e de renovação, o espírito pode vir ocupar uma vestimenta corporal oposta à tendência íntima que vivencia. O fenômeno é análogo ao que se refere à área masculina tanto quanto a feminina. Independentemente da forma de sexualidade que estamos vivenciando no presente, procuremos aceitá-la em plenitude, visto que há sempre, em qualquer condição, a oportunidade de adquirirmos experiências e, por consequência, progredirmos espiritualmente, vencendo desafios e promovendo realizações.

"(...) o mal depende principalmente da vontade que se tenha de o praticar. O bem é sempre o bem e o mal sempre o mal, qualquer que seja a posição do homem. Diferença só há quanto ao grau da responsabilidade."[1]

Não podemos nos esquecer de que o "grau de responsabilidade" deve ser sempre coerente com a estrada evolucional por onde transitam as almas. Portanto, os indivíduos responderão adequadamente por seus atos e atitudes e serão responsáveis somente por aquilo que conhecem, não pelo que ignoram.

Devemos, assim, viver em paz com nossa experiência sexual atual, valorizando nosso aprendizado e, em tempo algum, culpar-nos ou atribuir culpa a alguém.

Todos os seres humanos são regidos pela "Lei das Vidas Sucessivas". Cada um de nós está vivendo um aprendizado particular e único em todos os aspectos e, obviamente, também na área sexual. Efetivamente, existem tantos níveis de entendimento e amadurecimento sexuais quanto indivíduos que os possuem.

Não podemos determinar exatamente a extensão das dificuldades e das carências de conhecimento e discernimento de uma criatura em seu desenvolvimento afetivo. Mesmo porque estamos na Terra a fim de aprender e é através de nossos acertos e desacertos que ficaremos sabendo como agir corretamente nas experiências subsequentes.

Podemos julgar a promiscuidade sexual, moralmente errada,

mas não podemos julgar o indivíduo promíscuo, por desconhecermos sua necessidade evolutiva e seu "coeficiente de maturidade".

Na fisiologia, o denominado "ponto cego" é um local no campo da visão em que não há células sensíveis à luz. É nesse ponto que as fibras nervosas da retina convergem para formar o nervo óptico, que transmite os sinais nervosos ao cérebro para a decifração em imagens visuais. Transportando o significado deste termo fisiológico "ponto cego" para a área psicológica, poderemos fazer uma analogia entre esta lacuna em nosso campo visual com nossa falta de visão íntima para ver as coisas como realmente são. Nossos "pontos cegos" interiores se prendem à nossa inexperiência e à nossa incapacidade evolutiva.

Querer ser igual aos outros e nos comparar sexualmente indicam ausência de peças importantes em nossa consciência profunda, o que nos torna incapacitados para perceber a extensão das Leis Divinas que regem a todos nós.

[1] *Questão 636*

São absolutos, para todos os homens, o bem e o mal?

"A Lei de Deus é a mesma para todos; porém, o mal depende principalmente da vontade que se tenha de o praticar. O bem é sempre o bem e o mal sempre o mal, qualquer que seja a posição do homem. Diferença só há quanto ao grau da responsabilidade."

Mágoa

O produto amargo de nossa infelicidade amorosa são nossas mágoas, resultado direto de nossas expectativas, que não se realizaram, sobre nós mesmos e sobre as outras pessoas.

Os indivíduos que acreditam que tudo sabem a respeito do amor não têm meios de descobrir que não sabem, pois para nos tornar aptos ao aprendizado é necessário estarmos abertos às experiências e às observações. Aprendemos sobre o amor quando reconhecemos nossa própria ignorância, que não deveria ser encarada como desapontamento e fracasso, e sim como estímulo e desafio a um conhecimento mais amplo.

A maior parte das criaturas se comporta como se o amor não fosse um sentimento a ser cada vez mais aprendido e compreendido. Agem como se ele estivesse inerte na intimidade humana e passam a viver na expectativa de que um dia alguém ou alguma coisa possa despertá-lo em toda a sua potência, numa espécie de fenômeno encantado.

Na questão do amor, vale considerar que, quanto mais soubermos, mais teremos para dar; quanto maior o discernimento, maior será a nossa habilidade para amar; quanto mais compartilharmos o amor com os outros, mais estaremos alargando a nossa fonte de compreensão a respeito dele.

Quase todos os habitantes da Terra são considerados um "livro em branco" no entendimento do amor. Por não admitirmos nossa incapacidade de amar verdadeiramente, é que permanecemos desestimulados e conformados a viver uma existência com fronteiras bem limitadas na área da afetividade.

Negamos frequentemente o fracasso amoroso, durante anos e anos, para não admitir diante dos outros nossas escolhas precipitadas e equivocadas. Não percebemos, muitas vezes, oportunidades imensas de caminhar pelas veredas do amor, porque não renunciamos à necessidade neurótica de ser perfeitos; ficamos sempre presos a uma pressão torturante de infalibilidade.

Perdemos excelentes momentos de crescimento pessoal, queixando-nos cotidianamente de que estamos sendo ignorados e usados, porém nunca tomamos atitude alguma. Deixamo-nos magoar pelos outros e acabamos (por que não dizer?) magoando também a nós mesmos. Reagimos às ofensas e ao desdém, experimentando sentimentos de frustração, negação, autopiedade, raiva e imensa mágoa. Culpamos as pessoas pelos nossos sofrimentos, verbalizando as mais diversas condenações e, em seguida, esforçamo-nos exaustivamente para não ver que a origem de nossas dores morais é fruto de nossa negligência e comodismo.

O produto amargo de nossa infelicidade amorosa são nossas mágoas, resultado direto de nossas expectativas, que não se realizaram, sobre nós mesmos e sobre as outras pessoas.

Nós nos "barateamos" quando colocamos nossa autovalorização em baixa na espera de seduzir e modificar seres humanos que nos interessam.

Vivemos comumente desencontros na área da afetividade, por desconhecermos os processos psicológicos que nos envolvem, o que nos faz viver supostos amores. Justificamos nossa infelicidade conjugal como sendo "débitos do passado" e passamos uma vida inteira buscando "álibis reencarnatórios" para compensar o desprezo com que somos tratados e a opção que fizemos de viver com criaturas que nos desconsideram e nos agridem a alma constantemente.

"*(...) é uma das infelicidades de que sois, as mais das vezes, a causa principal.*" "*(...) Julgas, porventura, que Deus te constranja a permanecer junto dos que te desagradam? Depois, nessas uniões, ordinariamente buscais a satisfação do orgulho e da ambição, mais do que a ventura de uma afeição mútua. Sofreis então as consequências dos vossos preconceitos.*"[1]

Casamentos considerados comerciais foram realizados entre promessas socialmente dissimuladas, mas, certamente, eram transações de compra e venda. Negociações da posição social compraram beleza físico-sexual; a comercialização de diplomas promissores e rentáveis aliou-se à aquisição de estruturas financeiramente sólidas. A isso é que denominamos uniões matrimoniais?

A paixão, que muitos chamam de amor, raramente atravessa seu estágio embrionário. Aos poucos, perde a força motivadora por não possuir raízes profundas nos verdadeiros sentimentos da alma.

Quando a desilusão desfaz a paixão é porque desgastou-se o estado de irrealidade. Paixões acontecem quando usamos nossas emoções sem ligá-las aos nossos sentidos mais profundos.

Quase sempre acreditamos que o fracasso conjugal é um antônimo do sucesso matrimonial, esquecendo-nos, contudo, de que o êxito, em muitas circunstâncias, está do outro lado do que denominamos ruína afetiva. Aprendemos quem somos e como agimos convivendo com os defeitos e qualidades dos outros. É justamente nos conflitos de relacionamento que retiramos as grandes lições para identificar as origens de nossas aflições.

Perguntemo-nos a nós mesmos: por que estou me deixando magoar tanto? Onde e como nasceram minhas crenças de autopunição? Como esta minha postura de vida pode me fazer feliz?

Sempre temos infinitas possibilidades de escolha, por isso liguemo-nos a Deus e creiamos na Bondade Divina; com certeza, Ele nos mostrará o caminho para conquistar a felicidade que tanto almejamos.

[1] *Questão 940*

Não constitui igualmente fonte de dissabores, tanto mais amargos quanto envenenam toda a existência, a falta de simpatia entre seres destinados a viver juntos?

"Amaríssimos, com efeito. Essa, porém, é uma das infelicidades de que sois, as mais das vezes, a causa principal. Em primeiro lugar, o erro é das vossas leis. Julgas, porventura, que Deus te constranja a permanecer junto dos que te desagradam? Depois, nessas uniões, ordinariamente buscais a satisfação do orgulho e da ambição, mais do que a ventura de uma afeição mútua. Sofreis então as consequências dos vossos preconceitos."

Questão 940 - a

Mas, nesse caso, não há quase sempre uma vítima inocente?

"Há e para ela é uma dura expiação. Mas, a responsabilidade da sua desgraça recairá sobre os que lhe tiverem sido os causadores. Se a luz da verdade já lhe houver penetrado a alma, em sua fé no futuro haurirá consolação. Todavia, à medida que os preconceitos se enfraquecerem, as causas dessas desgraças íntimas também desaparecerão."

Mágoa

É profundamente irracional nutrir a crença de que nunca seremos traídos e de que sempre seremos amados e entendidos plenamente por todos.

Ao afirmarmos: "Nunca ninguém conseguirá me magoar", não queremos dizer que não damos o devido valor aos nossos sentimentos, que não nos importamos com o mundo e que não valorizamos as criaturas com quem convivemos. Querer não "sentir dor" pode dessensibilizar as comportas de nossos mais significativos sentimentos, inclusive atingindo de forma generalizada nossa capacidade de amar. Muitas vezes, queremos representar que possuímos uma segurança absoluta, quando, na realidade, todos nós somos vulneráveis de alguma forma.

Nosso estilo de vida, em muitas ocasiões, é ilógico e neurótico. O "querer viver" uma existência inteira desprovida de decepções e de ingratidão, com aceitação e consideração incondicionais, é desastrosamente irreal.

É profundamente irracional nutrir a crença de que nunca seremos traídos e de que sempre seremos amados e entendidos plenamente por todos.

Portanto, não podemos passar uma vida inteira ocultando de nós mesmos que nunca ficaremos magoados. Devemos, sim, admitir a mágoa, quando realmente ela existir, para que possamos resolver nossos conflitos e desarranjos comportamentais.

A maneira decisiva de atingirmos o equilíbrio interior é aceitarmos nossas emoções e sentimentos como realmente eles se apresentam, pois, deixando de ignorá-los, passaremos a nos adaptar firmemente à realidade dos fatos e dos acontecimentos que estamos vivenciando.

"(...) Conhecem os Espíritos o princípio das coisas (...) conforme a elevação e a pureza que hajam atingido."[1]

Os Espíritos Superiores possuem um amplo estado de consciência e uma capacidade plena para traduzir o "princípio das coisas". Conhecem as matrizes de seus sentimentos e a razão de suas atitudes, porque já atingiram um grau de lucidez que vai além dos limites da percepção consciente.

A grande maioria dos Espíritos encarnados e desencarnados domiciliados no orbe terrestre usualmente analisa fatos e toma atitudes de forma inconsciente, irrefletida, impulsiva ou automática. O automatismo permite que muitos de nós tenhamos uma sequência enorme de comportamentos, sem ao menos notarmos onde nasceram. Quer dizer, não compreendemos claramente os motivos e os significados ou mesmo a qualidade dos impulsos iniciais.

A arte de perceber de forma clara e real nossas mais íntimas intenções é uma das tarefas do processo evolutivo pelo qual todos estamos passando.

O que não pode ser visto não pode ser mudado. Os mecanismos inconscientes dos quais nos utilizamos para nos enganar são em grande parte imperceptíveis, principalmente àqueles que não iniciaram ainda a autodescoberta do mundo interior, através do auto-aprimoramento espiritual.

Mágoa não elaborada se volta contra o interior da criatura, alojando-se em determinado órgão, desvitalizando-o.

Mágoa se transforma com o tempo em rancor, exterminando gradativamente nosso interesse pela vida e desajustando-nos quanto a seu significado maior.

A "desatenção" pode, muitas vezes, parecer um simples esquecimento natural, mas também poderá ser vista como atividade psicológica para afastar de nosso dia a dia detalhes desagradáveis que não queremos admitir. Para não tomarmos consciência de que fomos magoados, simplesmente não notamos uma série quase infinita de fatos e feitos que demonstrariam, de forma segura, o ofensor e a intenção da ofensa. A "desatenção" é uma defesa que apaga somente uma parte do ocorrido, deixando consciente apenas aquilo que nos interessa no momento.

O fato de criarmos o hábito de desviar a atenção como forma de dispersar a dor da agressão e de isso funcionar muito bem em determinados momentos expressivos de nossa vida, mantendo a mágoa dissimulada, poderá se tornar um estilo comportamental inadequado, pois distorce a realidade de nossos relacionamentos.

Sentimentos não morrem; poderemos enterrá-los, mas mesmo assim continuarão conosco. Se não forem admitidos, não serão compreendidos e, consequentemente, estarão desvirtuando a nossa visão do óbvio e do mundo objetivo.

[1] *Questão 239*

Conhecem os Espíritos o princípio das coisas?

"Conforme a elevação e a pureza que hajam atingido. Os de ordem inferior não sabem mais do que os homens."

Egoísmo

A vaidade é filha legítima do egoísmo, pois o vaidoso é um "cego" que somente sabe ver a si próprio.

A vaidade é um desejo superlativo de chamar a atenção, ou a presunção de ser aplaudido e reverenciado perante os outros. É a ostentação dos que procuram elogios, ou a ilusão dos que querem ter êxito diante do mundo e não dentro de si mesmo.

Importante não olvidarmos que a vaidade atinge toda e qualquer classe social, desde as paupérrimas até as que atingiram o cume da independência econômica.

Francisco VI, duque de La Rochefoucauld, escritor francês do século XVII, dizia que "ficaríamos envergonhados de nossas melhores ações, se o mundo soubesse o que as motivou".

A afirmativa é válida porque se refere às criaturas que fazem filantropia a fim de alimentar sua vaidade pessoal, impressionando o mundo para que os inclua no rol dos generosos e de grandes altruístas.

O orgulho está incluído entre os tradicionais pecados capitais do catolicismo. Como a vaidade é uma ideia justaposta ao orgulho, ela também se destaca como um dos mais antigos defeitos a serem combatidos na humanidade. No entanto, somente poderemos nos transformar se conseguirmos ver e perceber, em nós mesmos, as raízes da vaidade, visto que negá-la de modo obstinado é ficar estritamente vinculado a ela.

É oportuno dizer que não estamos nos referindo aqui ao esmero na maneira de andar, falar, vestir ou se enfeitar, que, em realidade, são saudáveis e naturais, mas a uma causa mais complexa e profunda. O motivo de nossas análises e observações é o estado íntimo do indivíduo vaidoso, ou seja, o que está por baixo do interesse dessa exibição e dessa necessidade de ser visto, a ponto de falsificar a si mesmo para chamar a atenção.

Na fase infantil, a conduta dos pais e sua filosofia de vida agem sobre as crianças, plasmando-lhes uma nova matriz à sua, já existente, bagagem espiritual. Ao produto de suas vidas passadas é anexada a visão dos adultos, membros de sua família atual. Portanto, através dos pais, verdadeiros "espelhos vivos", as crianças assimilam suas primeiras noções de comportamento e modo de viver.

Filhos de pais orgulhosos podem-se tornar crianças exibicionistas, carregando uma grave dependência psíquica de destaque. Comportam-se para ser socialmente aceitas e para aparentar-se pessoas brilhantes.

Os vaidosos colocam máscaras de criaturas impecáveis e, evidentemente, transmitem aos filhos toda uma forma de pensar e agir alicerçada na preocupação com os rótulos e com a escala de valores pela qual foram moldados.

Outra causa do desenvolvimento da vaidade nas criaturas é a importância desmedida que dão às posses e propriedades. Na atualidade, por menor que seja a classe social em que se encontra constituída uma família, ainda é o dinheiro uma fonte absoluta de poder. Quem ganha mais reivindica no lar a autoridade, a atenção e o amor. A riqueza amoedada é conceituada como um dos instrumentos com o qual podemos manipular as pessoas e nos tornar um ponto de atração. Dessa forma, processa-se na criança uma educação do "tipo desintencional", transmitida pelos adultos de forma involuntária, automática e despercebida, através do somatório dos gestos, das conversas, das atitudes ou dos comportamentos do dia a dia.

A presunção leva os indivíduos a se casar não por amor, mas a se unir a alguém que lhes proporcione um melhor "status" social, uma roda de amigos de projeção e um nome importante. Enfim, as uniões matrimoniais acontecem, quase sempre, por interesse pessoal, sem levarem-se em conta os reais sentimentos da alma.

A supervalorização social e econômica de determinada profissão ou emprego influencia as escolhas de conformidade com a realização externa, em detrimento das inclinações e vocações internas. Há profissões tradicionalmente ambicionadas, como medicina, engenharia e outras tantas de mais recente valorização nos dias atuais, que os pais almejam para os filhos, tentando assim solucionar suas próprias frustrações e evidenciar sua própria pessoa com o "brilho profissional" de seus familiares. Condicionando-os a viver uma existência estereotipada, justificam-se com a representação de uma dedicação e proteção ao ambiente doméstico, quando, na realidade, o que cultivam é o "prazer da notoriedade".

Quando o eminente educador Allan Kardec indagou aos Semeadores da Era Nova qual a maneira de extirpar inteiramente do coração humano o egoísmo, fundado no sentimento do interesse pessoal, ele recebeu a seguinte orientação: "*(...) o egoísmo é a mais difícil de desenraizar-se porque deriva da influência da matéria, influência de que o homem, ainda muito próximo de sua origem, não pôde libertar-se e para cujo entretenimento tudo concorre: suas leis, sua organização social, sua educação. (...) O egoísmo assenta na importância da personalidade. Ora, o Espiritismo, bem compreendido, repito, mostra as coisas de tão alto que o sentimento da personalidade desaparece, de certo modo, diante da imensidade (...)*"[1]

A vaidade é filha legítima do egoísmo, pois o vaidoso é um "cego" que somente sabe ver a si próprio. Ora, essa importância ao "sentimento de personalidade", da qual os Espíritos de Escol se reportam, nada mais é do que a vaidade.

Além da educação familiar, os jornais, as revistas, os telejornais – ou seja, a mídia – criam todo um "mercado de personalidades" prósperas, mostrando suas fotos superproduzidas e seu modo de vida na opulência.

Novelas e filmes exibem os padrões a serem atingidos. As criaturas imaturas, que receberam uma educação voltada para esses valores superficiais, tentam se comparar e competir com os modelos da televisão ou com as estrelas e astros do cinema, gastando tempo e energia, porque se esquecem de que são incomparáveis.

As almas não são clichês umas das outras; todos temos características individuais e próprias. Os ingredientes do sucesso do ser humano se encontram em sua intimidade.

Não há razão para nos compararmos com os demais, pois cada indivíduo tem sua razão de ser no Universo. Se a Natureza nos criou para sermos "mangueiras", não devemos querer produzir como as "laranjeiras". Lembremo-nos, contudo, de que, tal como a semente, que contém todos os elementos vitais para a formação de uma árvore, também nós possuímos, em essência, todos os componentes de que necessitamos para ser criativos, originais e bem-sucedidos.

Paulo de Tarso assim se reportava aos moradores da Galácia:

"Porque, se alguém cuida ser alguma coisa, não sendo nada, engana-se a si mesmo".[2]

À medida que os homens tomarem consciência do seu próprio mundo interior, reconhecerem-se filhos do Poder do Universo e instruírem-se sobre as infinitas possibilidades da vida eterna, deixarão a doentia preocupação com as aparências, a frustração crônica que possuem por imitar os outros e a "atitude de camaleão" que cultivam com uma auto-imagem para agradar o mundo em seu redor.

[1] *Questão 917*

Qual o meio de destruir-se o egoísmo?

"De todas as imperfeições humanas, o egoísmo é a mais difícil de desenraizar-se porque deriva da influência da matéria, influência de que o homem, ainda muito próximo de sua origem, não pôde libertar-se e para cujo entretenimento tudo concorre: suas leis, sua organização social, sua educação. O egoísmo se enfraquecerá à proporção que a vida moral for predominando sobre a vida material e, sobretudo, com a compreensão, que o Espiritismo vos faculta, do vosso estado futuro, real e não desfigurado por ficções alegóricas. Quando, bem compreendido, se houver identificado com os costumes e as crenças, o Espiritismo transformará os hábitos, os usos, as relações sociais. O egoísmo assenta na importância da personalidade. Ora, o Espiritismo, bem compreendido, repito, mostra as coisas de tão alto que o sentimento da personalidade desaparece, de certo modo, diante da imensidade. Destruindo essa importância, ou, pelo menos, reduzindo-a às suas legítimas proporções, ele necessariamente combate o egoísmo. (...)"

[2] *Gálatas 6:3*

Egoísmo

A mesquinhez pode manifestar-se ou não com a acumulação de posses materiais, como também pode aparecer como um "refreamento de sentimentos" ou um "autodistanciamento do mundo".

Kardec, o sistematizador dos ensinos espíritas na Terra, comenta: "(...) *a propriedade que resulta do trabalho é um direito natural, tão sagrado quanto o de trabalhar e de viver.*" E as Vozes do Céu, sob a direção do Espírito de Verdade, afirmam: "*Não disse Deus: 'Não roubarás?' E Jesus não disse: 'Dai a César o que é de César?'*"[1]

A avareza não deve ser entendida apenas como um "defeito" ou uma "falha" humana a ser corrigida de modo compulsório, mas precisa, naturalmente, ser compreendida em sua origem mais profunda.

A falta de generosidade e a insensibilidade em relação às necessidades dos outros têm raízes numa defesa psicológica que desencadeia nos indivíduos uma ruptura na conexão entre o seu conteúdo emocional e o seu conteúdo intelectual.

A criatura sovina isola-se em si mesma. Nada tem importância para ela, a não ser a contenção doentia e generalizada em relação à sua própria vida interior, e não só em relação aos outros, como se pensa habitualmente. A mesquinhez pode manifestar-se ou não com a acumulação de posses materiais, como também pode aparecer como um "refreamento de sentimentos" ou um "autodistanciamento do mundo". Como a matriz interior se fundamenta numa necessidade reprimida da pessoa que não consegue se relacionar com outras, nem mesmo delas se aproximar para permuta de experiências e afetividade, ela se sente solitária e, assim, compensa-se, acumulando bens. Constrói torres e muralhas imensas para se proteger do empobrecimento que ela mesma vivencia, inconscientemente, há muito tempo – a escassez e a inibição da aproximação social e afetiva.

Cria toda uma atmosfera de autonomia por possuir valiosos objetos exteriores destinados a suprir a sensação de vulnerabilidade que sente ao lidar com as pessoas.

Na atualidade, tenta-se resgatar essa sensação do vácuo interior, existente na intimidade da alma humana, com uma reivindicação do desejo, cada vez maior, de possuir bens materiais. O grande fluxo de indivíduos que buscam os consultórios de psiquiatria e as clínicas das mais diversas especialidades médicas se deve a esse clima de insatisfação e de vazio existencial, que nada mais é que a colheita dos frutos do egoísmo – incapacidade de se relacionar, repressão dos sentimentos de amor e de fraternidade e a inconsciência de uma vida interna e eterna.

A indiferença e a frieza emocional, a apatia e o apego patológico, bem como o distanciamento das privações dos outros, são características marcantes das criaturas que alimentam uma paixão egoística pelos bens materiais. São conhecidas como sovinas, mesquinhas ou usurárias.

O trabalho interior sempre melhora a qualidade de nossa vida, pois passamos a conhecer a nós mesmos e o Universo como um todo, visto que somos levados também por um propósito precípuo cuja função é a de aprender a amar incondicionalmente.

Procuremos então viver, não como proprietários definitivos

de nossas posses, mas apenas como usufrutuários delas.

A técnica para aprendermos a amar, usando de generosidade e desprendimento, é empregarmos nossos sentimentos e emoções com equanimidade, o que quer dizer, dar-lhes igual importância ou utilizá-los com imparcialidade. A seguir, faremos breves anotações, cuja observação acurada poderá nos fornecer dados importantes para comportamo-nos com racionalidade:

– caridade sem salvacionismo;
– humildade sem baixa autoestima;
– determinação sem atrevimento;
– obediência sem submissão;
– bondade sem anulação da personalidade;
– compaixão sem sentimentalismo;
– segurança sem impulsividade;
– perseverança sem obstinação.

A avareza é o produto de uma necessidade que se encontra na intimidade da psique humana. Ela tenta enfeitar ou distrair o conflito com a busca de bens perecíveis, mas nunca consegue suprir a sensação de carência íntima.

Em síntese, o altruísmo é o amor desinteressado, resultado do "enriquecimento da vida interior", enquanto a avareza é filha da "pobreza do mundo interior", acarretando uma desumanização e uma obstrução da capacidade de amar.

[1] *Questão 882*

Tem o homem o direito de defender os bens que haja conseguido juntar pelo seu trabalho?

"Não disse Deus: 'Não roubarás? E Jesus não disse: 'Dai a César o que é de César?'"

Nota – O que, por meio do trabalho honesto o homem junta, constitui legítima propriedade sua, que ele tem o direito de defender, porque a propriedade que resulta do trabalho é um direito natural, tão sagrado quanto o de trabalhar e de viver.

Baixa autoestima

A criatura materialista precisa crer que é superior, para compensar sua crença na insignificância da existência ou na falta de sentido em que vive.

Complexo de inferioridade consiste em conjunto de ideias que foram recalcadas no inconsciente da criatura em tenra idade, associadas às já existentes pelas experiências obtidas em vidas pretéritas. Ele age sobre a conduta humana, provocando sentimentos gratuitos de culpa, excessiva carga emotiva relacionada a pensamentos de baixa autoestima, frequente sensação de inadequação e constante frustração em decorrência da desvalorização da capacidade e habilidade pessoal.

Para melhor entendimento de nossas considerações, definiremos o termo "recalque" ou "repressão" como um processo psíquico através do qual recordações, sentimentos, ideias e desejos inaceitáveis ou desagradáveis são excluídos da consciência, permanecendo apenas no inconsciente.

Alfred Adler, austríaco, um dos grandes nomes da psicanálise, médico, psiquiatra e psicólogo renomado, elucidou: "Subentendemos que, atrás das atitudes daqueles que se apresentam perante os outros com uma postura de superioridade, é possível a existência de um sentimento de inferioridade".

Segundo a psicologia adleriana, cada pessoa possui um "estilo de vida". Esse estilo é que motiva o indivíduo, através de impulsos sociais, a buscar o seu natural desenvolvimento e aperfeiçoamento. Na teoria de Adler, o "estilo de vida" forma-se na primeira infância e quase não se altera depois. Ele dizia que a maneira pessoal de o indivíduo se comportar, de se vestir, de se expressar ou de falar, ou melhor, sua forma de ser era a consequência desse "estilo" adotado. Concordando em parte com essa teoria, gostaríamos de acrescentar que o somatório dos múltiplos "estilos de vida" vivenciados nas diversas existências da alma humana, adicionado ao da infância atual, forma a real motivação que vai gerar nossas ações e atitudes. Somos, portanto, nós mesmos quem criamos nossas experiências, podendo assim modificarmos ou não os padrões de nossa vida.

Em muitas ocasiões, as pessoas tentam compensar esse sentimento de inferioridade, adotando formas de viver em que exageram e exaltam a própria personalidade. Tendência à arrogância, delírio megalomaníaco, preferência pela ostentação fazem parte do cortejo daqueles que possuem uma interiorizada depreciação de si mesmos.

Todos nós acolhemos em nossa intimidade não apenas crenças individuais, mas também as que nos foram transmitidas pela família e pela sociedade em vários níveis. Desde um gesto, um olhar ou uma expressão corporal até formas de conduta ou de verbalização, todos nós assimilamos as crenças alheias através de uma comunicação que poderíamos denominar de "contagiante".

Muitas almas, devido à sua imaturidade espiritual, deixaram-se contagiar por crenças materialistas, no decorrer dos séculos e nos diversos lugares onde viveram. Aceitaram as doutrinas filosóficas que defendem o ceticismo e que atribuem como causa ou origem da vida as propriedades íntimas da matéria. São as "crenças do acaso", que atribuem a tudo um acontecimento fortuito ou aleatório.

Na Parte I, capítulo I, questão 8, de "O Livro dos Espíritos", encontramos que seria um absurdo atribuir "*a formação primária a uma combinação fortuita da matéria, ou, por outra, ao acaso (...) A harmonia existente no mecanismo do Universo (...) revela um poder inteligente (...) o acaso é cego e não pode produzir os efeitos que a inteligência produz. Um acaso inteligente já não seria acaso*"[1].

Aprofundando nossas observações podemos considerar que a base de todo complexo de inferioridade inicia-se no materialismo, ou seja, na crença do nada.

Quando cremos que tudo provém do acaso e que nada existe senão o que os olhos físicos conseguem visualizar, iniciamos em nós o processo de inferioridade. Criamos, a partir daí, um "estilo de vida" inconsciente, baseado em que "não somos nada" e, em nossas profundezas, consideramos ser o produto momentâneo do acaso. Rejeitamos a riqueza incomensurável de nosso mundo interior e do Universo e não acreditamos na plenitude da Vida Mais Alta, porque desprezamos a Perfeita Ordem Divina. Ignoramos a essência sagrada que habita em nós e lutamos contra uma suposta má sorte, que nos fataliza a desgastar enorme quantidade de energia, por não reconhecermos as Leis Naturais que regulam tudo e todos.

O poeta e prosador francês François Marie Arouet, dito Voltaire, escreveu com muita propriedade: "O acaso não é, não pode ser, senão a causa ignorada de um efeito desconhecido".

Quando a pretensão e o orgulho tomam conta de nossos atos, nossa maneira de ser passa a fundamentar-se numa constante supercompensação negativa de nosso sentimento de inferioridade, por acreditarmos que somos, simplesmente, uma "combinação fortuita da matéria".

A criatura materialista precisa crer que é superior, para

compensar sua crença na insignificância da existência ou na falta de sentido em que vive. O ser espiritualizado acredita que não é pior nem melhor do que os outros, porque percebe e age com seus sentidos voltados para a Eternidade e sabe que cada pessoa é tão boa quanto pode ser, conforme seu grau evolutivo.

No entanto, o materialista prossegue em sua jornada, crescendo e descobrindo que o caminho da felicidade é uma trilha que o leva para "dentro de si mesmo" e o conduz até a Fonte Verdadeira, libertando-o da prisão dos sentidos para a plenitude existencial.

A providência primeira e essencial, para que possamos nos curar do sentimento de baixa autoestima ou inferioridade, é a convicção na imortalidade das almas e na pluralidade das existências, somada à crença de que somos seres espirituais criados plenos e completos, vivendo uma experiência humana com o objetivo de nos conscientizarmos dessa nossa plenitude inata. As providências seguintes a serem tomadas deverão ser reflexões sobre as causas de nossos sentimentos de inferioridade, o modo como foram adquiridos e as crenças que os motivaram.

É essencial lembrar-nos de que sempre é possível alterar ou transformar nosso "estilo de vida". Para tanto, não duvidemos de nossas aptidões e vocações naturais, nem questionemos, sistematicamente, nossas forças interiores. Para obtermos autoconfiança, somente é preciso reivindicarmos, valorosamente, o que já existe em nós por direito divino.

[1] *Questão 8*

Que se deve pensar da opinião dos que atribuem a formação primária a uma combinação fortuita da matéria, ou, por outra, ao acaso?

"Outro absurdo! Que homem de bom-senso pode considerar o acaso um ser inteligente? E, demais, que é o acaso? Nada."

Nota – A harmonia existente no mecanismo do Universo patenteia combinações e desígnios determinados e, por isso mesmo, revela um poder inteligente. Atribuir a formação primária ao acaso é insensatez, pois que o acaso é cego e não pode produzir os efeitos que a inteligência produz. Um acaso inteligente já não seria acaso.

Baixa autoestima

O sentimento de inferioridade ou de baixa autoestima associa as criaturas a uma resignação exagerada, a um autodesleixo ou descuido das coisas pessoais.

O sentimento de autopiedade pode nos tornar doentes fisicamente. Uma espécie de "invalidez psíquica" envolve-nos a existência e, a partir daí, sentimo-nos inferiores e incapazes, levados a uma perda total da confiança em nós mesmos.

A piedade aqui referenciada é o sofrimento moral de pesar ou a aflição que sentimos por autopunição. Ter pena ou dó, em muitas circunstâncias, pode não ser um sentimento verdadeiro, mas sim uma obrigação social aprendida, a ser demonstrada diante do infortúnio alheio.

No entanto, a sensação que experimentamos de amor, permeada de respeito e afeição pelos outros, revela-nos os reais sentimentos denominados de benevolência e de compaixão.

A baixa autoestima ou autopiedade pode-nos levar a ser vítimas de nós mesmos, pois estaremos somatizando essas emoções negativas em forma de doenças. Os sintomas da enfermidade podem ser considerados a forma física de expressar uma atitude interna, ou mesmo um conflito. Portanto, doentes não são somente as vítimas inocentes de algum desarranjo da Natureza, mas também os facilitadores de sua própria moléstia.

Os acontecimentos em si mesmos nunca têm muito sentido; precisamos aprender a discernir o que há por trás do aspecto físico, ou seja, atingir o conteúdo metafísico das coisas. A importância e a mensagem de um fato ou de um acontecimento somente aparecem clarificados, quando interpretados em sua significação; é isso que nos permite a compreensão completa de seu sentido.

Quando deixamos de interpretar as ocorrências da vida e o seguimento natural que implicará seu destino, nossa existência mergulhará numa total falta de sentido.

A doença sempre tem uma intencionalidade e um objetivo, surgindo nas criaturas de baixa autoestima a fim de alertá-las de que existe uma descompensação psíquica (seu sentimento de inferioridade) e da necessidade de harmonizá-la.

Os traços psicológicos dos indivíduos que sentem autopiedade são reconhecidos pela ausência de experiências interiores. Eles possuem uma restrita visão de seu ritmo interno, não valorizam seu mundo íntimo nem desenvolvem seu potencial inato, quer dizer, suas capacidades latentes (intuição, inspiração, percepção).

"*Deus criou todos os Espíritos simples e ignorantes, isto é, sem saber. (...) os Espíritos, em sua origem, seriam como as crianças, ignorantes e inexperientes, só adquirindo pouco a pouco os conhecimentos de que carecem com o percorrerem as diferentes fases da vida.*"[1]

O que acontece é que estamos saindo da inconsciência para a consciência, da transitoriedade para a permanência, da personalidade para a individualidade, da razão para a intuição, do estar para o ser. Eis o processo de evolução das almas!

Portanto, pela ignorância e simplicidade inatas, não quer dizer que somos inferiores por criação divina. Filhos de Deus são perfectíveis (possuem o germe da perfeição); não foram criados inferiores, mas sem ciência de si mesmos. Simples significa –

básico, espontâneo, natural e primário. Ignorante – aquele que não tem consciência de si mesmo. Temos, portanto, a explicação da analogia ("seriam como as crianças") feita pelos Espíritos Iluminados na questão em estudo.

Todas as nossas capacidades e ideias criativas estão potencialmente presentes, mas os seres precisam apenas de tempo para integrá-las em definitivo. O nosso desenvolvimento espiritual consiste, unicamente, na modificação da nossa maneira de ver, e isso nada mais é do que a expressão de uma nova visão de nós mesmos e do Universo.

O sentimento de inferioridade ou de baixa autoestima associa as criaturas a uma resignação exagerada, a um autodesleixo ou descuido das coisas pessoais. A perda do senso de autovalorização é também consequência do sentimento de inferioridade, que remete os indivíduos à vivência entre "hábitos cronometrados" e a uma "mecanização dos costumes".

O maior sentido de nossa encarnação é a conscientização da riqueza de nosso mundo interior. Somos essências divinas em busca da perfeição, cujo caminho é o autodescobrimento.

Aqui estão algumas afirmações que, se observadas com atenção, poderão nos ajudar a reconquistar a autoconfiança perdida:

– somos potencialmente capazes de tomar decisões sem ter que recorrer a intermináveis conselhos;

– possuímos uma individualidade divina completamente distinta da dos outros;

– fazemos as coisas porque gostamos, não para agradar as pessoas;

– encontraremos sempre novos relacionamentos; por isso, não temos medo de ser abandonados;

– usaremos, constantemente, de nosso bom senso; portanto, as críticas e as desaprovações não nos atingirão com facilidade;

– tomaremos nossas próprias decisões, respeitando, porém, as dos outros;

– confiaremos na Luz Maior que há em nós; ela sempre nos guiará pelos melhores caminhos.

Certa vez, um pai desesperado trouxe seu filho até o Mestre, para que fosse curado (...) "E Jesus disse-lhe: Se tu podes crer, tudo é possível ao que crê. E logo o pai do menino, clamando, com lágrimas, disse: Eu creio, Senhor! Ajuda a minha incredulidade"[2].

Devemos, pois, todos nós juntos, aproveitando dessas palavras, repetir: "Senhor, ajuda-nos em nossa incredulidade!", cientes de que depende exclusivamente de nossa vontade vencer os obstáculos da baixa autoestima, que nos impedem de alcançar a plenitude das realizações pessoais.

[1] *Questão 115*

Dos Espíritos, uns terão sido criados bons e outros maus?

"Deus criou todos os Espíritos simples e ignorantes, isto é, sem saber. A cada um deu determinada missão, com o fim de esclarecê-los e de os fazer chegar progressivamente à perfeição, pelo conhecimento da verdade, para aproximá-los de si. Nesta perfeição é que eles encontram a pura e eterna felicidade. Passando pelas provas que Deus lhes impõe é que os Espíritos adquirem aquele conhecimento. Uns aceitam submissos essas provas e chegam mais depressa à meta que lhes foi assinada. Outros só a suportam murmurando e, pela falta em que desse modo incorrem, permanecem afastados da perfeição e da prometida felicidade."

Questão 115 – a

Segundo o que acabais de dizer, os Espíritos, em sua origem, seriam como as crianças, ignorantes e inexperientes, só adquirindo pouco a pouco os conhecimentos de que carecem com o percorrerem as diferentes fases da vida?

"Sim, a comparação é boa. A criança rebelde se conserva ignorante e imperfeita. Seu aproveitamento depende da sua maior ou menor docilidade. Mas, a vida do homem tem termo, ao passo que a dos Espíritos se prolonga ao infinito."

[2] Marcos 9:23 e 24

Rigidez

O excesso de rigidez e severidade faz com que criemos um padrão mental que influenciará os outros para que nos tratem da mesma forma como os tratamos.

Teimosia é uma forma de rigidez da personalidade. É um apego obstinado às próprias ideias e gostos, nunca admitindo insuficiências e erros.

Conviver com criaturas que estão sempre com a razão, que acreditam que nasceram para ensinar ou salvar todo mundo e que jamais transgridem a nada, é viver relacionamentos desgastantes e insatisfatórios.

Quase sempre, fugimos desses indivíduos dogmáticos, incapazes de aceitar e considerar um ponto de vista diferente do seu. Nesses relacionamentos, ficamos confinados à representação de papéis instrutor-aprendiz, orientador-orientado, mentor-pupilo. Somente escutamos, nunca podemos expressar nossa opinião sobre os eventos e as experiências que compartilhamos.

As pessoas teimosas vão ao excesso do desrespeito, por não darem o devido espaço para as diferenças pessoais que existem nos amigos e familiares.

"*(...) pelos vossos excessos, chegais à saciedade e vos punis a vós mesmos.*"[1]

Os limites traçados pela natureza nos ensinam onde e quando devemos parar, bem como por onde e quando devemos seguir. A Natureza respeita nossos dons próprios, ou seja, nossa individualidade. Assim, devemos também aceitar e respeitar nosso jeito exclusivo de ser, bem como a de todos aqueles com quem compartilhamos a existência terrena.

O excesso de rigidez e severidade faz com que criemos um padrão mental que influenciará os outros para que nos tratem da mesma forma como os tratamos. Poderemos ainda, no futuro, provocar em nós um sentimento de autopunição, pois estaremos usando para conosco o mesmo tratamento de austeridade e dureza. O arrependimento se associa à culpa, nascendo daí uma vontade de nos redimir pelos excessos cometidos, o que acarreta uma necessidade de expiação – o indivíduo se compraz com o próprio sofrimento.

Nossos limites se expressam de maneira específica e ninguém pode exigir igualdade de pensamento e ação de outro ser humano. Respeitando nossa singularidade, aprenderemos a respeitar a singularidade dos outros e sempre cairemos no excesso, quando não aceitarmos nosso ritmo de crescimento, bem como o do próximo.

Segundo Alfred Adler, a "compensação" é um dos métodos de defesa do ego e consiste num fenômeno psicológico que busca contrabalançar e dissimular nossas tendências inconscientes por nós consideradas reprováveis e que tentam vir à nossa consciência.

Os excessos de todo gênero funcionam, na maioria das vezes, como disfarce psicológico para compensar nossas tendências interiores. Exageramos posturas e inclinações na tentativa de simular um caráter oposto.

Atitudes exageradas de um indivíduo significam, quase sempre, o contrário do que ele declara.

Excesso de pudor – compensação de desejos sexuais normais reprimidos.

Excesso de afabilidade – compensação de agressividade mal elaborada.

Excesso de alimentação – compensação de insegurança ou necessidade de proteção.

Excesso de religião – compensação de dúvidas desmoralizadoras existentes na inconsciência.

Excesso de dominação – compensação de fragilidade e desamparo interior.

Atrás de todo excesso ou rigidez se encontra a não aceitação da naturalidade da vida, fora e dentro de nós mesmos.

[1] *Questão 713*

Traçou a Natureza limites aos gozos?

"Traçou, para vos indicar o limite do necessário. Mas, pelos vossos excessos, chegais à saciedade e vos punis a vós mesmos."

Rigidez

Os erros são quase que inevitáveis para quem quer avançar e crescer. São acidentes de percurso, contingências do processo evolutivo que todos estamos destinados a vivenciar.

Quando agimos erroneamente é porque não sabemos como fazer melhor. Ninguém, de forma deliberada, tem o desejo de ser infeliz; portanto, ninguém escolhe o pior. Os feitos e as atitudes peculiares de cada criatura estão intimamente ligados a seu desenvolvimento físico, mental, social e moral. Nossa maturidade espiritual é adquirida através das experiências evolutivas no decorrer de todos os tempos, seja na atualidade, seja no pretérito distante.

Tudo o que fazemos está relacionado com nossa idade astral. Inquestionavelmente, fazemos agora o que de melhor poderíamos fazer, porque estamos agindo e pensando conforme nossas convicções interiores; aliás, ela (a idade astral) é gradativa, pois está vinculada às nossas percepções evolutivas.

As criaturas que agem com austeridade em determinada circunstância acreditam que aquela é a melhor opção a tomar. Porém, quando o amadurecimento conduzi-las a ter uma melhor noção a respeito dos relacionamentos humanos, elas assimilarão novas maneiras de se comportar e passarão a agir de forma coerente com seu novo entendimento. A concepção de bem se amplia de acordo com nosso desenvolvimento espiritual.

A proposta cristã "pagar o mal com o bem" sugere: castigar por castigar não transforma a criatura para o bem, mas somente o amor é capaz de sublimar e educar as almas.

A pena de morte é uma rigidez dos costumes humanos. Propõe matar o corpo físico como punição pelas faltas cometidas, com o esquecimento, porém, de que somente transfere a problemática para outras faixas da vida e cria revolta e desarmonia no ser em correção.

A dor apenas terá função dentro dos imperativos da vida, enquanto os homens não aceitarem que somente o amor muda e renova as criaturas.

O projeto da Vida Maior é conscientizar-nos, não sentenciar.

Nosso planeta está repleto de criaturas intelectualizadas e influentes, mas nem por isso sábias e habilitadas para todas as coisas. Por mais inteligente que seja o ser humano, sempre haverá um universo de coisas que ele desconhece.

Muitas pessoas matam, roubam e mentem sem vacilação alguma, mas será que sabem perfeitamente que isso não é certo?

Estar no intelecto não é a mesma coisa que estar na profundeza da alma. Ter informações e receber orientações não é a mesma coisa que integralizar o ensinamento, ou mesmo, saber por inteiro.

"*(...) O homem julga necessária uma coisa, sempre que não descobre outra melhor. À proporção que se instrui, vai compreendendo melhor o que é justo e o que é injusto e repudia os excessos cometidos, nos tempos de ignorância, em nome da justiça.*"[1]

Os erros são quase que inevitáveis para quem quer avançar e crescer. São acidentes de percurso, contingências do processo evolutivo que todos estamos destinados a vivenciar.

Em vez de repelirmos nossos erros, deveríamos analisá-los

atentamente como se fossem verdadeiros objetos de arte, evitando, assim, futuros comprometimentos.

Deus permite que o erro integre o nosso caminho. Aliás, ele faz parte das nossas condições evolutivas, para que possamos aprender e assimilar as experiências da vida. Os erros são ocorrências consideradas admissíveis pela legislação do Criador.

Deus não condena ou castiga ninguém, mas o oposto: instituiu leis harmoniosas e justas que nos conduzirão fatalmente à felicidade plena, apesar de nossas faltas e desacertos.

Por que então usar de rigidez perante os acontecimentos da vida?

[1] *Questão 762*

A pena de morte, que pode vir a ser banida das sociedades civilizadas, não terá sido de necessidade em épocas menos adiantadas?

"Necessidade não é o termo. O homem julga necessária uma coisa, sempre que não descobre outra melhor. À proporção que se instrui, vai compreendendo melhor o que é justo e o que é injusto e repudia os excessos cometidos, nos tempos de ignorância, em nome da justiça."

Rigidez

Ser flexível não quer dizer perda de personalidade ou "ser volúvel", mas ser acessível à compreensão das coisas e pessoas.

Para melhorarmos as circunstâncias de nossa vida, precisamos transformar nossos padrões de pensamentos limitadores. Isolando-nos dentro dessas fronteiras estreitas, passamos a encarar o mundo de forma reduzida e nos condicionamos a pensar que a vida é uma fatal provação. Assim, não mais vivemos intensamente, limitando-nos apenas a sobreviver.

Explorando opções, diversificando nossas opiniões, conceitos, atitudes e recolhendo os frutos do progresso aqui e acolá, teremos expandida a nossa visão, que será a base para agirmos com prudência e maleabilidade diante das nossas decisões.

A arquitetura de uma ponte prevê os movimentos oscilatórios, para que sua estrutura não sofra dano algum. As estruturas imobilizadas nunca são tão fortes como as flexíveis. Mentalidades rígidas não são consideradas desembaraçadas e rápidas, pois nunca estão prontas para mudar ou para receber novas informações.

"*(...) Uma paixão se torna perigosa a partir do momento em que deixais de poder governá-la e que dá em resultado um prejuízo qualquer para vós mesmos, ou para outrem.*"

"*(...) Todas as paixões têm seu princípio num sentimento, ou numa necessidade natural. (...) A paixão propriamente dita é a exageração de uma necessidade ou de um sentimento (...)*"[1]

Paixões podem ser consideradas predisposições impetuosas e violentas, se levadas ao extremo. Elas atingem as diversas áreas do relacionamento humano como, por exemplo, a política, a social, a afetiva, a religiosa e a sexual.

Predileção pelo lucro é útil; o exagero é cobiça.

Predileção pelo afeto é valorosa; o exagero é apego.

Predileção pela religião é evolução; o exagero é fanatismo.

Predileção pela casa é necessária; o exagero é futilidade.

Predileção pelo lazer é saudável; o exagero é ociosidade.

Entendemos, portanto, que a predileção pelas nossas convicções é racional, mas o exagero é inflexibilidade, obstinação, ou seja, paixão.

Ser flexível não quer dizer perda de personalidade ou "ser volúvel", mas ser acessível à compreensão das coisas e pessoas. Encontramos criaturas que se mantêm presas durante anos e anos a conceitos e crenças imobilizadoras. Convergiram toda a sua atenção para sentimentos, objetivos ou pensamentos obstinados, dificultando uma amplitude de raciocínio e discernimento.

Esse fenômeno não somente ocorre no mundo físico, mas também com as criaturas na vida espiritual, que permanecem estacionadas, compulsoriamente, a uma paixão doentia ligada a uma ideia única.

Criando uma pluralidade de pensamentos reflexivos, teremos, obviamente, um melhor discernimento para perceber, escutar, ler, aprender e seguir nossos caminhos.

Nossa saúde mental está intimamente ligada a nossa capacidade de adaptação ao meio em que vivemos, e nosso progresso intelectual se expressa por meio da habilidade psicológica de associação de ideias.

Na atualidade, os estudiosos da mente acreditam que os indivíduos duros e intransigentes, por não se adaptarem à realidade das coisas, possuem uma maior predisposição para a psicose. Fogem para um universo irreal, classificado como loucura. Essa fuga é, por certo, uma forma de adaptação, para que possam sobreviver no mundo social que eles relutam em aceitar.

Deixar a rigidez mental é fator básico para o crescimento interior. Para aprendermos o "bem viver", é preciso que abandonemos as condutas da paixão, quer dizer, das emoções exageradas. As atitudes inovadoras e consideradas inusitadas na vida dos grandes homens foram as que fizeram com que eles fossem denominados criaturas extraordinárias.

Jesus Cristo, o Sublime Renovador das Almas, é considerado a maior personalidade "sui generis" de toda a humanidade. O Mestre não somente teve procedimentos e atitudes nobres, mas também inéditos e inovadores, substituindo toda uma forma de pensar rígida, impetuosa e fanática dos homens de caráter austero e intolerante que viviam em sua época.

[1] *Questão 908*

Como se poderá determinar o limite onde as paixões deixam de ser boas para se tornarem más?

"As paixões são como um corcel, que só tem utilidade quando governado e que se torna perigoso desde que passe a governar. Uma paixão se torna perigosa a partir do momento em que deixais de poder governá-la e que dá em resultado um prejuízo qualquer para vós mesmos, ou para outrem."

Nota – As paixões são alavancas que decuplicam as forças do homem e o auxiliam na execução dos desígnios da Providência. Mas, se, em vez de as dirigir, deixa que elas o dirijam, cai o homem nos excessos e a própria força que, manejada pelas suas mãos, poderia produzir o bem, contra ele se volta e o esmaga.

Todas as paixões têm seu princípio num sentimento, ou numa necessidade natural. O princípio das paixões não é, assim, um mal, pois que assenta numa das condições providenciais da nossa existência. A paixão propriamente dita é a exageração de uma necessidade ou de um sentimento. Está no excesso e não na causa e este excesso se torna um mal, quando tem como consequência um mal qualquer. (...)

Ansiedade

A reunião de todas as nossas ansiedades não poderá alterar nosso destino; somente nosso empenho, determinação e vontade no momento presente é que poderá transformá-lo para melhor.

Definimos comportamento como o conjunto de reações e condutas de um indivíduo em resposta a um estímulo. Em outras palavras, é a forma de ser, agir e reagir exclusiva de cada pessoa.

Nossas convicções íntimas é que determinam nossos comportamentos exteriores; portanto, reside em nós mesmos a influência que exercemos sobre as situações imediatas ou sobre as circunstâncias futuras de nossa vida. Nenhuma de nossas condutas ou atitudes manifestadas é livre de efeitos. Embora possa não ser notada no momento, futuramente será percebida e influenciará outros eventos em outras ocasiões.

O poder das crenças e dos pensamentos é fator impressionante nas ocorrências de nosso cotidiano.

Sabendo dessas verdades, não seria de vital importância que observássemos melhor nossos pensamentos habituais e analisássemos nossas crenças mais profundas? Não seria mais adequado verificarmos onde estamos pondo nosso poder de fé?

É frequente idealizarmos ansiosamente o nosso futuro. Atribuímos momentos felizes e expectativas irreais à nossa vida, encaixando-os em ocasiões especiais como a formatura, o casamento, os filhos, um bom emprego. Quase sempre, quando o fato se concretiza, ficamos por demais frustrados, pois a realidade nunca corresponde exatamente à nossa idealização precipitada.

A preocupação pode produzir ansiedade, levando-nos, a partir de então, a imaginar fatos catastróficos. Quando nos preocupamos com o futuro, não vivemos o agora e sofremos imensa imobilização, que toma conta do nosso presente, advinda de coisas que irão ou não acontecer no amanhã. A reunião de todas as nossas ansiedades não poderá alterar nosso destino; somente nosso empenho, determinação e vontade no momento presente é que poderá transformá-lo para melhor.

As situações calamitosas que imaginamos apenas se materializarão, se as dramatizarmos constantemente. Se imprimirmos com pensamentos trágicos os fatos e acontecimentos da vida, eles assumirão proporções que não tinham a princípio e, realmente, se tornarão realidade. Criaturas trágicas atrairão certamente a tragédia.

Crer com firmeza que Deus nunca erra e sempre está se manifestando e se pronunciado em tudo e em todos será sempre um método feliz de se despreocupar. Crer que Ele está sempre disposto a nos prover de tudo o que necessitamos para nosso amadurecimento espiritual é o melhor antídoto contra a ansiedade e os excessos de imaginação dramática.

Deus é a "Consciência do Universo", a "Alma da Natureza" e a "Harmonia das Forças Cósmicas". As Entidades Benevolentes e Sábias que elaboraram os fundamentos da Doutrina Espírita responderam que: "*(...) Deus é eterno, infinito, imutável, imaterial, único, onipotente, soberanamente justo e bom (...) do vosso ponto de vista (...) porque credes abranger tudo.*"[1]

Acreditar que a vida é perfeita e que nada existe que não tenha uma razão de ser nos conduzirá sempre ao discernimento de que tudo está certo de maneira inequívoca e absoluta. Mesmo quando estamos iludidos pelos aspectos exteriores das coisas, pela falta de fé, pelos exageros de qualquer matiz, ainda assim a Vida Providencial nos levará a "um só rebanho e um só Pastor"[2].

Lembremo-nos, porém, de que a imaginação serve para criarmos quadros de alegria, beleza, progresso, amor. No entanto, se a estivermos usando para produzir tristeza, ansiedade, abandono, medo e desconfiança, o melhor a fazer é interromper o negativismo e mudar o estado mental.

Cada um transita pelo caminho certo, na hora exata, de acordo com seu estado evolutivo. Não há com que nos preocuparmos; tudo está absolutamente correto, porque todos estamos amparados pela sabedoria providencial das Leis Divinas.

[1] *Questão 13*

Quando dizemos que Deus é eterno, infinito, imutável, imaterial, único, onipotente, soberanamente justo e bom, temos ideia completa de seus atributos?

"Do vosso ponto de vista, sim, porque credes abranger tudo. Sabei, porém, que há coisas que estão acima da inteligência do homem mais inteligente, as quais a vossa linguagem, restrita às vossas ideias e sensações, não tem meios de exprimir. A razão, com efeito, vos diz que Deus deve possuir em grau supremo essas perfeições, porquanto, se uma lhe faltasse, ou não fosse infinita, já ele não seria superior a tudo, não seria, por conseguinte, Deus. Para estar acima de todas as coisas, Deus tem que se achar isento de qualquer vicissitude e de qualquer das imperfeições que a imaginação possa conceber."

[2] *João 10:16*

Ansiedade

De nada adiantará teu desespero e aflição, pois a Vida Maior não te dará ouvidos dessa forma.

Já tomaste plena consciência de tua ansiedade?

Notaste como estás atropelando os outros e a ti mesmo?

Aonde queres chegar? Por onde caminhas?

Todas essas perguntas, respondidas sinceramente, poderiam abrir-te a mente para novas e melhores atitudes, garantindo-te estabilidade e segurança emocionais.

De nada adiantará teu desespero e aflição, pois a Vida Maior não te dará ouvidos dessa forma.

Vive com plenitude o presente e verás o futuro relatar as consequências dos teus atos do ontem, que contam tua própria história de vida.

Tudo aquilo que precisares aprender, discernir e compreender chegará em tua existência repetidas vezes até dares a devida atenção, efetuando assim a aprendizagem necessária.

A vida te escutará, auscultando tua intimidade, ou seja, tuas reais necessidades da alma.

A tua ansiedade não mudará o curso da Natureza. Tudo acontece naturalmente, visto que as Leis Naturais ou Divinas não promovem saltos nem extrapolam os ditames estabelecidos por Deus, inseridos nelas mesmas.

Não tentes mudar a sequência dos fatos. Existem etapas regidas por ciclos evolutivos que são, em verdade, o processo espiritual de desenvolvimento de cada um. Cada fase antecede a outra; portanto, tudo está equilibrado harmonicamente pelas normas do Poder Divino.

Analisa as plantas como modelo: se quiseres que elas cresçam e se desenvolvam, limita-te a deixá-las viver naturalmente, pois, por mais que possas dispensar-lhes cuidados e zelos contínuos, somente quando estiverem prontas é que brotarão e se cobrirão de flores.

Experiência é a soma dos teus desacertos e desenganos. O sábio conhece o limite do necessário porque nele reside uma capacidade extraída das diversas experiências vividas ao longo das existências. Em relação ao limite do necessário, assim declaram os Representantes do Espírito de Verdade: "*Aquele que é ponderado o conhece por intuição. Muitos só chegam a conhecê-lo por experiência e à sua própria custa*"[1].

Não queiras burlar as barreiras naturais do Universo, acalma-te, procura caminhar passo após passo, porque somente assim chegarás à serenidade que tanto procuras.

Não tentes fazer de tua vida um caminho meticuloso, calculando tua existência minuciosamente, pois estarás prejudicando o ritmo natural dos acontecimentos.

Deus fala contigo pela voz silenciosa de teu coração. Centraliza-te em ti mesmo e do âmago de tua alma perceberás amorosamente que, na Natureza, tudo cresce em harmonia. Analisa o fluxo da vida nas águas, nas plantas, nas flores, nos animais, nas pessoas e em ti mesmo e verás as oportunidades de crescimento que todo ser está destinado a alcançar.

Não tenhas pressa – a paciência te ajudará a atravessar o

momento de crise e os frutos do amanhã serão proporcionais à tua paciência de agora.

[1] *Questão 715*

Como pode o homem conhecer o limite do necessário?

"Aquele que é ponderado o conhece por intuição. Muitos só chegam a conhecê-lo por experiência e à sua própria custa."

Perda

Não admitimos que podem coexistir entre amigos sentimentos ambivalentes como: admiração e inveja, estima e competição, afeição e orgulho.

O ilustre romano Cícero, em seus célebres ensaios literários sobre a amizade, registrou a seguinte pergunta: "Haverá alguma coisa mais doce do que teres alguém com quem possas falar de todas as tuas coisas, como se falasses contigo mesmo?".

Realmente, não há pior solidão do que a do homem sem amigos. A falta de amizade faz com que seu mundo de afetividade se transforme em um enorme "deserto interior".

Entre amigos não existe nenhum limite às confidências, pois a virtude principal que os une é a sinceridade. Para que tenhamos maior compreensão sobre a amizade, é necessário analisarmos as profundezas da intimidade humana.

"*A Natureza deu ao homem a necessidade de amar e de ser amado. Um dos maiores gozos que lhe são concedidos na Terra é o de encontrar corações que com o seu simpatizem (...)*"[1]

Portanto, a criatura não deve "*endurecer o coração e fechá-lo à sensibilidade*", se receber ingratidão de seus amigos. Isso seria um erro, "*(...) porquanto o homem de coração (...) se sente sempre feliz pelo bem que faz. Sabe que, se esse bem for esquecido nesta vida, será lembrado em outra (...)*"[1]

De certo modo, temos por crença que amigos leais são

somente os que compartilham os mesmos gostos, tendências, entusiasmos e ideais; que devem estar sempre à nossa disposição, concordar com tudo o que pensamos e de que precisamos e que jamais devem ter sentimentos contraditórios.

Se realmente alimentarmos essa crença de que os amigos verdadeiros são aqueles que se modelam ao nosso perfeito "idealismo mítico", isto é, relacionamentos estruturados em "castelos no ar", poderemos estar vivendo, fundamentalmente, sob uma consistência irreal a respeito de amizade.

O crescimento de nossas relações com os semelhantes depende da nossa habilidade em não ultrapassar as possibilidades limitativas de cada um e de obtermos uma compreensão das restrições da liberdade e disponibilidade dos amigos, ficando quase sempre atentos às conexões que fazemos com nossos devaneios emocionais.

De modo geral, não admitimos que podem coexistir entre amigos sentimentos ambivalentes como: admiração e inveja, estima e competição, afeição e orgulho. As emoções radicalmente diferentes, ou mesmo opostas, são inatas nas criaturas humanas no estágio evolutivo em que se encontram.

Muitos tiveram uma educação fantasiosa do tipo "e viveram felizes para sempre" e, quando se deparam com a realidade humana, ficam profundamente chocados por constatar que possuem ambivalência de sentimentos, identificando-os também, analogamente, nas figuras mais importantes de sua vida.

Todo ser na Terra está aprendendo a usar coerentemente seus sentimentos e emoções. Não podemos fugir dessa verdade. Nossa visão interior precisa mover-se como um pêndulo, a fim de evitarmos unilateralidades que nos impedem de ver o todo. Sabedoria traduz-se na capacidade de reconhecer, ou na habilidade de ver a totalidade da vida em seu completo equilíbrio. Viver na polaridade não nos deixa entender as diversidades de sentimentos e emoções que vivenciamos. Precisamos adquirir uma percepção intuitiva, para não analisarmos tudo como sendo absoluto. Toda avaliação correta usa de critérios com certa relatividade e prende-se às circunstâncias do momento e não, exclusivamente, aos fatos em si.

Essa dualidade de opostos irreconciliáveis entre certo-errado nos embrenha cada vez mais na polaridade, impedindo-nos de compreender que cada parte contém o todo. Somos unos com a Vida. Estamos ligados de forma integrante às pessoas e a todas as outras formas de vida do Universo. Exemplificando isso, Jesus Cristo realçou: "Em verdade vos digo que, quando o fizestes a um destes meus pequeninos irmãos, a mim o fizestes."[2]

O que deve ter feito mais tarde com que Paulo de Tarso escrevesse aos Coríntios: "Ora, pecando assim contra os irmãos e ferindo a sua fraca consciência, pecais contra Cristo."[3]

"O homem de coração, que se sente sempre feliz com o bem que faz", sabe que todas as experiências que vivenciamos uns com os outros são peças importantes no processo de crescimento espiritual. Sabe que não basta simplesmente ignorar as ingratidões alheias, ou não guardar eternos ressentimentos; deve também avaliar e aprender com seu próprio sentimento de perda ou de abandono.

"O homem de coração" entende perfeitamente que, com as experiências que mantém com os amigos atuais ou que manteve com os amigos que se foram, pode oferecer importantes conexões para ampliar os horizontes do autoconhecimento. A partir daí, tem condições de discernir a variedade de categorias de amigos.

Há amigos de "atividades habituais": possuem uma convivência restrita, reúnem-se somente para cultos religiosos, em dias de lazer e de esportes, nas horas de trabalho, ou em cursos ou eventos diversos. Outros existem, qualificados como amigos, por "vantagens recíprocas". São unidos pelas profissões que exercem, promovem sociedades de interesse comum e com metas especiais, desempenhando papéis e ofícios especializados juntos; mas não juntos interiormente.

Os denominados amigos de "décadas diferentes" são todos aqueles ligados por enormes afinidades das vidas passadas, que nem mesmo a grande diferença de idade consegue separá-los da convivência diária. Adquirem uma intimidade carinhosa e verdadeira, que enseja a permuta de experiências, de vigor e de ânimo. Outra categoria a ser considerada é a dos chamados amigos "itinerantes" ou "transitórios". Cruzam nossas vidas durante determinada etapa. Compartilham nossa amizade em épocas cruciais; outras vezes, em busca de aprendizagem, passam por nós nas encruzilhadas do caminho terreno, para depois se desligarem, porque se desvaneceram os elos comuns que os mantinham conosco. No decorrer do tempo, cada um deles segue o caminho que traçou rumo ao próprio destino.

Os reconhecidos, porém, como amigos "íntimos" ou "permanentes" são aqueles que possuem afeto mútuo e o conservam indefinidamente. A intimidade entre eles faz com que tenham um crescente amadurecimento espiritual. Alargam seu mundo interior à medida que aumentam a capacidade de compreender as similaridades e as diferenças entre si mesmos.

Em verdade, para se possuir real intimidade e adquirir plena confiança entre amigos é necessário nunca esconder o que há de desagradável em nós; em outras palavras, é preciso revelar nossa falibilidade. Querer demonstrar caráter impecável e isenção de dúvidas é característica de indivíduos incapazes de perdoar e inábeis para manter relações duradouras e afetividade verdadeira.

Em síntese, a perda de amigos representa momentos difíceis e dolorosos. As dores da alma em relação às amizades não são propriamente dificuldades desta época; já eram no passado distante motivo de admoestações e de conselhos. No Livro do Eclesiástico, encontramos registrada a seguinte orientação: "Não abandones um velho amigo, visto que o novo não é igual a ele. Vinho novo, amigo novo; deixa-o envelhecer, e o beberás com prazer."[4]

[1] *Questão 938*

As decepções oriundas da ingratidão não serão de molde a endurecer o coração e a fechá-lo à sensibilidade?

"Fora um erro, porquanto o homem de coração, como dizes, se sente sempre feliz pelo bem que faz. Sabe que, se esse bem for esquecido nesta vida, será lembrado em outra e que o ingrato se envergonhará e terá remorsos da sua ingratidão."

Questão 938 - a

Mas, isso não impede que se lhe ulcere o coração. Ora, daí não poderá nascer-lhe a ideia de que seria mais feliz, se fosse menos sensível?

"Pode, se preferir a felicidade do egoísta. Triste felicidade essa! Saiba, pois, que os amigos ingratos que o abandonam não são dignos de sua amizade e que se enganou a respeito deles. Assim sendo não há de que lamentar o tê-los perdido. Mais tarde achará outros, que saberão compreendê-lo melhor. Lastimai os que usam para convosco de um procedimento que não tenhais merecido, pois bem triste se lhes apresentará o reverso da medalha. Não vos aflijais, porém, com isso: será o meio de vos colocardes acima deles."

Nota - A Natureza deu ao homem a necessidade de amar e de ser amado. Um dos maiores gozos que lhes são concedidos na Terra é o de encontrar corações que com o seu simpatizem. Dá-lhe ela, assim, as primícias da felicidade que o aguarda no mundo dos Espíritos perfeitos, onde tudo é amor e benignidade. Desse gozo está excluído o egoísta.

[2] *Mateus 25:40*

[3] *1 Coríntios 8:12*

[4] *Eclesiástico 9:10*

Perda

São compreensíveis as lamentações e os pesares, o pranto e os suspiros, pois o ser humano passa por processos psicológicos de adaptação e de reajuste às perdas da vida.

"Preciso é que tudo se destrua para renascer e se regenerar. Porque, o que chamais destruição não passa de uma transformação, que tem por fim a renovação e melhoria dos seres vivos."[1]

Nascer e morrer fazem parte de um fenômeno comum e necessário. Tudo nasce, tudo se desenvolve, mas tudo se definha. Sempre há um tempo de partir.

A morte na Terra é o término de uma existência física, é a passagem do ser infinito para uma nova forma existencial. Ela é um interlúdio, ou seja, um intervalo entre as diversas transformações da vida, a fim de que a renovação e a aprendizagem se estabeleçam nas almas, ao longo da eternidade.

Morrer não é uma perda fatal, não é um mal, é um essencial processo de harmonização da Natureza. Durante quanto tempo lamentaremos o passamento de um ser amado? Dependerá de como estamos preparados para isso, de que modo ocorreu a morte, de como era a nossa história pessoal com ele. No entanto, a perda de um ente querido é universalmente causa de tristezas e de lágrimas, em qualquer rincão do Planeta, mas a forma como demonstramos esses nossos sentimentos e emoções está intimamente moldada ao nosso grau evolutivo. O conjunto de conhecimentos adquiridos, ou seja, o acervo cultural, espiritual e intelectual que possuímos, é de fundamental importância em nossa maneira de expressar essa perda.

Por isso, devemos entender e respeitar as múltiplas reações emocionais manifestadas no luto, pois acontecem de conformidade com as estruturas psicossociais que caracterizam cada indivíduo, levando sempre em conta suas diferentes nacionalidades, crenças e costumes peculiares.

A dor da perda, contudo, está radicada na incompreensão a seu respeito ou na apreensão que a precede e a acompanha. Eliminando-se esses fatores, os indivíduos verão a morte como um momento de renovação inerente à Natureza. Inquestionavelmente, é um período que antecede o reencontro dos atuais e dos antigos amores.

São compreensíveis as lamentações e os pesares, o pranto e os suspiros, pois o ser humano passa por processos psicológicos de adaptação e de reajuste às perdas da vida. Os pesares e os murmúrios fazem parte da sequência de fatos interiores, que são provimentos mentais gradativos e difíceis, através dos quais as criaturas passam a aceitar lentamente a ausência – mesmo convictas de sua temporalidade – das pessoas que partiram.

Uma das mais importantes funções da tristeza é a de propiciar um ajustamento íntimo, para que a criatura replaneje ou recomece uma nova etapa vivencial. É importante identificarmos nossa tristeza e sua função de momento; jamais devemos, no entanto, identificar-nos com ela em si.

"Não, não é verdade! Não pode estar acontecendo!", "Isso deve ser um horrível pesadelo que vai acabar!" são expressões comumente usadas como negação. São reações costumeiras diante de perdas desesperadoras. A recusa em admitir os fatos e as circunstâncias que os determinaram é uma forma de defesa habitual nas situações devastadoras com nossos entes queridos. É necessária a bênção do tempo para que a alma elabore novamente um ajustamento mental e reúna forças para compreender a privação e a real extensão promovida pela dor.

Alguns choram em voz alta; outros, porém, ficam sentados em silêncio. O isolamento transitório pode ser considerado também como uma outra forma psicológica de defesa para suportar esses transes dolorosos. A atenção destes se fixa unicamente no falecimento da pessoa querida, não se permitindo fazer contato com outras pessoas, a fim de que o sentimento de tristeza não aperte ainda mais seu coração, ou para evitar que sejam evocadas com maior intensidade as lembranças queridas. Dessa forma, a criatura abranda o impacto da perda, fazendo um retraimento introspectivo.

"O Senhor deu, o Senhor tirou; bendito seja o nome do Senhor."[2] Com toda a certeza, essa mensagem do Antigo Testamento incita-nos a uma aceitação incondicional dos desígnios da Assistência Divina.

O Criador da Vida fez com que a Natureza se mantivesse num eterno reciclar de experiências e energias, numa constante mudança de formas e ritmos, em nossa viagem maravilhosa de conhecimentos através da imortalidade.

Quando nossa visão se liga em nossa pura essência, vamos além de todas as coisas diminutas e insignificantes, fazendo com que nosso discernimento se amplie numa imensa lucidez diante de nossa jornada evolutiva.

Não existe perda, não existe morte, assim garantiram os Espíritos Amigos a Kardec: "*(...) o que chamais destruição não passa de uma transformação (...)*"

[1] *Questão 728*

É lei da Natureza a destruição?

"Preciso é que tudo se destrua para renascer e se regenerar. Porque, o que chamais destruição não passa de uma transformação, que tem por fim a renovação e melhoria dos seres vivos."

Questão 728 - a

O instinto de destruição teria sido dado aos seres vivos por desígnios providenciais?

"As criaturas são instrumentos de que Deus se serve para chegar aos fins que objetiva. Para se alimentarem, os seres vivos reciprocamente se destroem, destruição esta que obedece a um duplo fim: manutenção do equilíbrio na reprodução, que poderia tornar-se excessiva, e utilização dos despojos do invólucro exterior que sofre a destruição. Esse invólucro é simples acessório e não a parte essencial do ser pensante. A parte essencial é o princípio inteligente, que não se pode destruir e se elabora nas metamorfoses diversas por que passa."

[2] *Jó 1:21*

Perda

Quase nada sabemos em matéria de velhice e, por isso, inconscientemente, ajudamos os anciãos a se lançarem, de forma prematura, no abismo da doença e da morte.

Estudando as atitudes comportamentais dos idosos na Terra, observamos que, apesar de o corpo físico estar passando pelos fenômenos responsáveis pelo envelhecimento, o centro da personalidade permanece inalterado. Continuam presentes as características particulares e as tendências naturais dos indivíduos durante a velhice orgânica. Concluímos que a pessoa continua conduzindo-se com o mesmo jeito de ser e atuando com sua própria coletânea de gostos e habilidades inatas. Observamos que, mesmo acumulando diversas experiências e aprendizagem na caminhada terrena e efetuando expressivas mudanças de comportamento, os idosos continuam procedendo de acordo com tudo aquilo que sempre foram.

Dessa forma, entendemos que, apesar do crescimento espiritual que desenvolvem durante toda uma existência na matéria densa, renovando suas atitudes e defrontando com um extenso campo de transformações biológicas e sociais na idade avançada, guardam sua própria individualidade. O Criador não dá cópias. Cada um de nós é um projeto da Natureza, nascido de Deus, com expressões singulares e especiais. Todos temos em comum o fato de pertencermos à mesma espécie, quer dizer, somos da mesma natureza, somos semelhantes, mas não iguais.

Há os que dizem que a velhice é somente perda, isolando os velhos de sua convivência, sem se darem conta de que obedecem, obrigatoriamente, ao comando de um impulso de medo, pois os idosos representam para eles um espelho em que enxergam, hoje, a realidade que os espera no futuro.

"*(...) Deus fez do amor filial e do amor paterno um sentimento natural. Foi para que, por essa afeição recíproca, os membros de uma família se sentissem impelidos a ajudarem-se mutuamente, o que, aliás, com muita frequência se esquece na vossa sociedade atual.*"[1]

O esquecimento e o desprezo a que relegamos os velhos, a atitude nociva de considerá-los vivendo "a segunda infância", de condená-los à monotonia denominando-os de "desatualizados", é porque não sabemos lidar com a questão do homem idoso. Em verdade, quase nada sabemos em matéria de velhice e, por isso, inconscientemente, ajudamos os anciãos a se lançarem, de forma prematura, no abismo da doença e da morte.

Não olvidemos, porém, que, a cada dia que passa, todos nós estamos envelhecendo. Os processos orgânicos degenerativos são paulatinos e gradativamente notados. Isso levou a inesquecível escritora francesa do século XVII Marie de Rabutin-Chantal, marquesa de Sévigné, a escrever a um parente que se encontrava preocupado por ter-se tornado avô: "A rampa, de tão suave, é quase imperceptível. É como o ponteiro do relógio, que quase não se vê mover". O poder da Natureza não está em nossas mãos, e a velhice é uma vereda obrigatória para todos.

Uma outra problemática a ser considerada na velhice é o apego às tradições ou o preconceito contra as novidades, que, em verdade, não são atuais. Sempre se repudiaram as novas ideias e os novos hábitos, pois, geralmente, as mudanças levam a uma certa insegurança psicológica, havendo pessoas que sentem verdadeiro horror diante de novos costumes e conceitos.

Não só na terceira idade, mas em todas as etapas da vida, deve-se fugir dos hábitos, opiniões e ideias conservadoras, porquanto não se pode adotar nada em caráter definitivo. Em se tratando de regras socialmente estabelecidas, vale lembrar esta excelente afirmação: "O mais eficaz dos hábitos é o hábito de saber quando se deve mudar de hábito".

A história de vida de cada criatura é importante para determinar sua capacidade de mudar e de crescer durante a idade avançada. No entanto, na arte de bem envelhecer, podemos dar origem a novas forças e novas aptidões que não puderam ser desenvolvidas anteriormente nas outras fases da vida.

Para o ser humano que vive o entardecer da jornada na Terra, pode surgir a tão almejada estabilidade emocional, decorrente de maior liberdade interior, novas perspectivas e uma visão translúcida da vida. Será ainda possível que ele atinja maior autocompreensão, maior respeito às decisões alheias e maior honestidade consigo mesmo. Podemos nomear tudo isso como sendo a colheita benéfica dos "frutos do outono".

Sabe-se que o ser existencial nunca é um produto acabado; ele se apura, esmera-se e reassume, modificando-se continuamente. O desenvolvimento evolucional é permanente, mas não instantâneo.

No curso da vida de cada indivíduo, surgem novas e inesperadas tarefas, fazendo com que se desembaracem as antigas fibras e se possa acompanhar o fluxo de uma nova textura de experiências inéditas.

O envelhecimento não é uma perda para aqueles que mantêm uma vida extremamente ativa, para os que continuam combatendo o confinamento de seu mundo íntimo. Não confundamos, no entanto, idosos que se confinam interiormente – por abstração e alheamento dos acontecimentos habituais – com aqueles que fazem o exercício da introspecção e da contemplação, técnicas altamente positivas.

Está provado que atividade e longevidade guardam uma íntima relação com ação e reação. Deixar inertes as forças físicas e mentais faz com que elas se degenerem, visto que a ação laboriosa protege-nos de grandes males, como o tédio e a solidão.

Na Natureza nunca há perda. Quando finda uma etapa de nossa existência, outra vem ocupar a lacuna deixada, porque nossas vidas sucessivas estão entregues ao Poder Perfeito do Universo, que tudo cuida e desenvolve. O calendário na Terra pode estar passando; entretanto, temos agora o momento perfeito e a idade precisa que nos possibilitam discernir que devemos dar à vida seu alto e justo valor, seja qual for a faixa etária que estivermos atravessando.

[1] *Questão 681*

A lei da Natureza impõe aos filhos a obrigação de trabalharem para seus pais?

"Certamente, do mesmo modo que os pais têm que trabalhar para seus filhos. Foi por isso que Deus fez do amor filial e do amor paterno um sentimento natural. Foi para que, por essa afeição recíproca, os membros de uma família se sentissem impelidos a ajudarem-se mutuamente, o que, aliás, com muita frequência se esquece na vossa sociedade atual."

Insegurança

Os inseguros omitem defesa a seus direitos pessoais por medo e evitam encontros ou situações em que precisam expor suas crenças, sentimentos e ideias.

A insegurança traz como características psicológicas os mais variados tipos de medo, como o de amar, o da mudança, o de cometer erros, o da solidão, o de se pronunciar e o de se desobrigar. O inseguro não confia no seu valor pessoal, desacredita suas habilidades e desconfia de sua possibilidade de enfrentar as ocorrências da vida, o que o impulsiona a uma fatal tendência de se apoiar nos outros.

Por não compreender bem seu poder interior, apega-se na afeição do cônjuge, filhos, outros parentes e amigos e, assim, acaba dependendo completamente dessas pessoas para viver. Em vez do amor, é a insegurança a fonte principal que o une aos outros; por isso, controla e vigia em razão das dúvidas que tem sobre si mesmo.

O inseguro, por não saber que não pode controlar os atos e atitudes das outras criaturas, cria grandes dificuldades em seus relacionamentos, gerando, consequentemente, maiores cobranças e barreiras entre eles.

A hesitação torna-o criatura incapaz de se sentir bastante firme para agir. Nunca possui certeza suficiente e quer sempre mais se certificar das coisas. É excessivamente cauteloso e vigilante; está em constante sobreaviso e desconfiança de tudo e de todos, por causa do medo das consequências futuras de suas ações do presente.

Os inseguros desenvolvem muitas vezes uma "devoção mórbida" em relação às causas e aos ideais, ou se associam a um parceiro forte e dinâmico para compensar sua necessidade de apoio, consideração e segurança. No primeiro caso, eles podem assumir diante do mundo a posição de "crentes exaltados", querendo convencer todos de uma verdade que eles mesmos não acreditam; no segundo, buscam alguém que lhes corresponda ao modelo de seus genitores, para que, novamente, venham a se nutrir da autoridade, decisão e firmeza que encontravam nos pais, quando crianças.

Muitos ainda buscam refúgio numa atividade intelectual e se colocam, por exemplo, na posição de autoridade literária, como estratégia emocional, a fim de estimular em torno de si uma atmosfera de "bem informados" e, portanto, grandiosos e seguros.

Kardec, Discípulo de Jesus, pergunta aos Instrutores Espirituais: "*Quando um Espírito diz que sofre, de que natureza é o seu sofrimento?*" A Espiritualidade elaborou a seguinte resposta: "*Angústias morais, que o torturam mais dolorosamente do que todos os sofrimentos físicos.*"[1]

"Angústias morais" podem ser entendidas como a fragilidade em que se encontram as criaturas inseguras, a sensação de mal-estar que sentem, por acreditarem que estão constantemente sendo observadas e julgadas e também pela perpétua situação mental de vulnerabilidade diante do mundo.

Os inseguros não são assertivos; em outras palavras, não se expressam de modo direto, claro e honesto. Omitem defesa a seus direitos pessoais por medo e evitam encontros ou situações em que precisam expor suas crenças, sentimentos e ideias.

O título de "Senhor de Si Mesmo" poderá definir bem a segurança e firmeza de Jesus Cristo. Suas palavras "Seja, porém, o vosso falar: sim, sim; não, não"[2] ainda hoje ressoam, convidando todas as criaturas à autonomia espiritual. Realmente, o comportamento assertivo do Mestre e sua significativa liberdade de expressão revelavam:

– franqueza em dizer o que pensava;

– segurança de olhar, ouvir e convidar qualquer um;

– independência de exprimir seus sentimentos com absoluta transparência;

– liberdade de pedir o que quisesse;

– coragem de correr riscos para concretizar tudo aquilo em que acreditava.

Essas alegrias os inseguros não sentem. Seguindo, porém, os passos de Jesus, Nosso Guia e Senhor, a humanidade alcançará a estabilidade e serenidade interior que busca há tantos séculos – conquista dos seres despertos e amadurecidos do futuro.

[1] *Questão 255*

Quando um Espírito diz que sofre, de que natureza é o seu sofrimento?

"Angústias morais, que o torturam mais dolorosamente do que todos os sofrimentos físicos."

[2] *Mateus 5:37*

Insegurança

A intensa motivação que invade os indivíduos para serem amados e queridos a qualquer preço nasce das dúvidas íntimas sobre si mesmos.

Necessitar de amor, desejar consideração ou procurar segurança são desejos naturais e válidos. Uma certa quantidade de dependência emocional está presente em muitos relacionamentos, incluindo os saudáveis; efetivamente, juntos ou sozinhos, estamos sempre caminhando pelas estradas da evolução.

Para avançarmos pela vida de forma harmônica com as pessoas, devemos desenvolver a autoestima, a capacidade de admitir erros, a responsabilidade de assumir nossos atos e, acima de tudo, a aceitação incondicional dos outros.

A insegurança faz de nossos relacionamentos íntimos um misto de irreflexão e precipitação, levando-nos a um excesso de confiança e, ao mesmo tempo, fazendo-nos perder o senso de nossas fronteiras individuais. Quase sempre, fazemos um verdadeiro emaranhado de nossos objetivos, desejos e conflitos com os de outras criaturas – pais, filhos, irmãos, amigos, cônjuges. Quando essas nossas afeições mudam, seja porque estabeleceram uma outra ligação íntima, seja porque, simplesmente, elegeram para si novos rumos existenciais, ficamos fatalmente desestabilizados e desesperados.

Carências ilimitadas nascem da insegurança, sufocando e

afastando relacionamentos salutares. Muitas vezes, chegamos ao extremo de abdicar de nossos objetivos e vocações mais íntimas, colocando-nos em situações vexatórias, por termos deixado que nossa "porção fragilizada" falasse mais alto.

Inicialmente, fazemos um esforço hercúleo para nos entregar nas mãos da pessoa eleita. Com o passar do tempo, vamos ficando incomodados e desestimulados com esse relacionamento, até que, finalmente, chegamos ao ápice do desgaste, ficando raivosos e ressentidos com a pessoa de quem dependemos. Isso é compreensível, porque não há ninguém que goste, conscientemente, de ceder seu poder pessoal ou de renunciar a seus direitos de liberdade a quem quer que seja.

A intensa motivação que invade os indivíduos para serem amados e queridos a qualquer preço nasce das dúvidas íntimas sobre si mesmos, pois são pessoas que, raramente, podem se realizar na vida sem se "pendurar" no que chamam de grande amor.

A insegurança transborda de tal modo que transforma a natural necessidade de amar em uma necessidade patológica de satisfação, somente alcançada através da possessividade do amor.

Parte do desenvolvimento da personalidade humana é construída na infância e a esta soma-se a milenar bagagem espiritual adquirida em outras encarnações. As bases de muitas indecisões diante da vida se devem à educação autoritária dada pelos pais, que escolhem sistematicamente pelos filhos desde roupas, alimentos, esportes, brinquedos, férias, até amigos, profissão e afetos. Crianças crescem deixando parentes, companheiros ou professores decidirem por elas sem levar em conta seus gostos e preferências. Essas crianças se tornarão, mais tarde, homens sem segurança, firmeza e coragem de tomar atitudes perante a vida. O direito de decidir deve ser estimulado sempre desde a infância, pois se trata de apoio vital na formação de um sólido sentimento de determinação e firmeza, que refletirá no adulto de amanhã.

Indagou o Codificador do Espiritismo: "*Que é o que resulta dos embaraços que se oponham à liberdade de consciência?*" E a Espiritualidade foi taxativa: "*Constranger os homens a procederem em desacordo com o seu modo de pensar, fazê-los hipócritas (...)*"[1].

Essa hipocrisia não é propriamente intencional ou feita conscientemente, mas é quase sempre inconsciente. Não deixa, porém, de ser um modelo comportamental falso ou fingido da criatura humana, que se conduz de maneira diferente do seu jeito de ser e agir.

O constrangimento que se faz à nossa liberdade de consciência prejudica a busca de nós mesmos, a nossa afirmação perante a vida, bem como nos dificulta encontrar a peculiar forma de amar.

Em razão disso tudo, indivíduos passam a usar uma máscara de "bonzinho" como meio de seduzir, conquistar ou conseguir disfarçar a enorme incerteza que carregam, mas, periodicamente, mostram de modo claro sua insatisfação interior: explodem em raiva inesperada contra aqueles com quem convivem. As relações ficam sensivelmente limitadas, pois nunca se sabe quanto a sua "bondade extremada" vai suportar uma opinião contrária ou algo que lhes desagrade.

Essas "estranhas bondades" são peculiares das pessoas que não desenvolveram a confiança em suas ideias, intuições e vocações íntimas e nunca se afirmam em si mesmas. Não admitem sua insegurança e, por isso, a agressividade acaba quase sempre controlando suas reações. Vivem comportamentos irreais e simulados, tentando agradar a todos e fazendo da mentira uma necessidade para viver. Pagam, porém, um preço fisiológico, ou seja, a somatização das raivas e fragilidades que mantêm fantasiadas em candura e amabilidade.

Um comportamento exagerado de um indivíduo geralmente significa o oposto do que ele demonstra e confessa.

Os inseguros vivem numa espécie de "heteronomia crônica", quer dizer, não escolhem as leis que regem sua conduta. Distanciados cada vez mais de uma vida autônoma, submetem-se a princípios e a pessoas diferentes de seu modo de pensar.

Usar a nossa própria intimidade para nos guiar, lançar mão de nossas sensações, emoções e sentimentos é a chave essencial que nos dará segurança.

[1] *Questão 837*

Que é o que resulta dos embaraços que se oponham à liberdade de consciência?

"Constranger os homens a procederem em desacordo com o seu modo de pensar, fazê-los hipócritas. A liberdade de consciência é um dos caracteres da verdadeira civilização e do progresso."

Repressão

Chorar é muito natural. Quando estamos em contato com nossas emoções e sentimentos, sabemos o que eles nos querem dizer e mostrar.

Não devemos reter nossas lágrimas. São elas nossas energias emocionais que se materializam e precisam ser expressas.

Chorar é muito natural. Quando estamos em contato com nossas emoções e sentimentos, sabemos o que eles nos querem dizer e mostrar sobre nossas carências e nossas relações com os outros.

Quase todos nós aprendemos como sentir ou como esconder nossas emoções na infância. A formação da nossa personalidade está ligada, sem contar a outros tantos fatores, ao aprendizado da vida atual. Fatos e atitudes semelhantes costumam provocar nas crianças emoções comparáveis; portanto, não podemos nos esquecer da influência do meio e da cultura no desenvolvimento de nossa emotividade.

Emoções e sentimentos são simples e primários; são como são, não adianta enfeitá-los ou tentar explicá-los. O desenvolvimento, porém, da nossa maneira de "sentir agindo" se forma de acordo com nosso grau evolutivo somado à nossa vontade e ao ambiente em que vivemos.

Ninguém sente emoções somente em determinadas partes do corpo, mas sim em todo o organismo. No entanto, a mesma emoção pode provocar atitudes completamente diversas nas pessoas. Durante uma apresentação teatral ou musical, podemos observar as mais controvertidas emoções na plateia diante das mesmas circunstâncias de estímulo. Os seres humanos são espíritos milenares que vivem temporariamente em corpos transitórios; essa é a razão da diversidade de sentimentos.

Em caso de falecimento de entes queridos, chorar de modo intenso é uma emoção perfeitamente compreensível. Porém, se aprendemos com adultos preconceituosos que "homens nunca devem chorar", reprimimos nossas emoções naturais e passamos a criar barreiras psicológicas em nossa vida íntima. É saudável, pois, em certas circunstâncias, demonstrar tristeza; reprimi-la é doentio.

Não estamos nos referindo aos comportamentos espetaculares de exibição dramática, mas à necessidade de expressar a dor da separação.

Muitos escondem suas lágrimas, pois querem demonstrar a seus amigos e familiares que são altamente espiritualizados. Afirmam que o choro é reação anormal de criaturas revoltadas. Na verdade, esse julgamento infeliz é observado nos denominados "juízes ideológicos"; perderam suas conexões com a sensibilidade.

Alguns aprenderam que não devemos chorar pelos nossos mortos queridos, pois lhes ensinaram que, enquanto permanecerem derramando lágrimas, seus afetos não ficarão em paz. O verdadeiro problema que se estabelece é a rebeldia e a inconformação perante as Leis da Vida, não as lágrimas que derivam da saudade e do amor que nutrimos pelos seres que partiram.

Outros reagem ante os funerais de familiares com um "entorpecimento emocional", não derramando uma lágrima sequer. Pessoas podem acusá-los de indiferentes e insensíveis, por não conseguirem avaliar o cansaço físico excessivo dessas criaturas naquele momento, pelas noites e noites desgastantes que viveram durante a longa doença do afeto que partiu.

Outros ainda tomam atitudes de coragem impassível diante da dor, por terem aderido a doutrinas estoicas. Posteriormente, no entanto, sentem-se culpados, porque não choraram o quanto queriam chorar.

Para os que têm fé e aceitam a vida após a morte, a separação é vista de forma temporária, ficando mais fácil para eles superarem os momentos dolorosos do "adeus" na desencarnação. Sabem que o progresso é inevitável e, por isso, consideram a morte o fim de uma etapa e o início de outra melhor.

"*Sensibiliza os Espíritos o lembrarem-se deles os que lhes foram caros na Terra.*"[1]

As lágrimas são mensageiras da saudade, são as águas cristalinas do coração, que surgem das profundezas de nossa alma.

[1] *Questão 320*

Sensibiliza os Espíritos o lembrarem-se deles os que lhes foram caros na Terra?

"Muito mais do que podeis supor. Se são felizes, esse fato lhes aumenta a felicidade. Se são desgraçados, serve-lhes de lenitivo."

Repressão

As mutilações de qualquer gênero são sempre uma repressão cruel e violenta às leis naturais da vida.

Os espíritos transitam por uma escala vastíssima de reencarnações, através dos milênios, ocupando posições ora masculinas ora femininas, o que lhes confere, geralmente, certas características bissexuais. Ser homem ou mulher é uma transitoriedade do mundo físico.

Além das diversidades biológicas, naturais e inerentes dos corpos masculinos e femininos, encontramos outras tantas nas áreas psíquicas, sociais e reencarnatórias. Todas essas diferenças sofrem as pressões das regras sociais da educação vigente e dos costumes de uma época, juntamente com a ação das glândulas sexuais. Isso nos leva a classificar as atitudes humanas com certas predominâncias, masculinas ou femininas.

Os espíritos não têm sexo; portanto, em toda personalidade humana existem traços de masculinidade e de feminilidade. Isso não quer dizer que uma mulher com traços masculinos seja anormal, mas sim que existem aspectos sexuais típicos e diferentes em cada criatura.

Dessa forma, cada ser se distingue por determinadas peculiaridades no mundo afetivo e, por isso, a tendência emocional da criatura, muitas vezes, difere e independe de sua morfologia orgânica.

Na infância, os pais se encarregam de transmitir às crianças as primeiras noções sobre sexualidade, mas nem sempre guiam seus filhos para um bom entendimento das faculdades genésicas. Em muitas ocasiões, fixam preconceitos na mente infantil, os quais, mais tarde, gerarão diversos desequilíbrios da libido.

As religiões ortodoxas e controladoras atribuem ao sexo uma proibição divina. Afirmam que todos os seres humanos nascem com o "pecado original", ou seja, pelos erros sexuais cometidos por Adão e Eva, considerados como os "pais da humanidade", e que todos precisam ser purificados pelo batismo. Colocam ainda a abstenção sexual como condição imprescindível para se atingir a santidade, olvidando-se de que tudo o que existe na Natureza foi gerado por Deus e que a sexualidade é parte integrante de nossa criação divina.

Adultos imaturos do ponto de vista espiritual reprimem os impulsos sexuais nas crianças, atribuindo malícia ou precocidade, por desconhecerem que as energias sexuais são forças criativas inerentes aos seres humanos e importantíssimas para seu desenvolvimento psicoemocional.

Desconhecem ainda que somente pequena parte dessa energia age na atividade sexual propriamente dita. O restante dessa força criativa se generaliza nas manifestações das atividades sociais, intelectuais, físicas, emocionais e espirituais do indivíduo. Ao inibirem um setor, estão comprometendo o todo, quer dizer, os seres humanos não funcionam por partes separadas, mas num processo de interdependência. Não podemos tocar num elemento sem afetarmos todo o crescimento psicológico em evolução.

"*Que se deve pensar das mutilações operadas no corpo do homem (...)? (...) A Deus não pode agradar o que seja inútil e o que for nocivo lhe será sempre desagradável. (...) Deus só é sensível aos sentimentos que elevam para ele a alma. Obedecendo-lhe à lei e não a violando é que podereis forrar-vos ao jugo da vossa matéria terrestre."*[1]

A energia sexual pode trazer satisfações tanto nas atividades afetivas e emocionais quanto em quaisquer das atividades intelectuais, espirituais e orgânicas, proporcionando ao indivíduo uma sensação de bem-estar e facilitando sua criatividade.

A ideia de sexualidade proposta pela Doutrina Espírita, há mais de cento e quarenta anos, encontra apoio nas modernas teorias psicológicas, leva o indivíduo a uma ótica transcendente do sexo e o faz abandonar essa visão simplista, biológica e materialista a que ele sempre foi relegado.

Entendemos por mutilação não somente a privação ou a destruição visível de partes do nosso corpo, mas também a ocorrida de forma imperceptível, oculta ou velada.

Podemos cobrir os impulsos sexuais com o manto da simulação. Substituímo-los por outros, inventamos desculpas e álibis convincentes para ocultá-los de nós mesmos e dos outros; porém, eles não desaparecem.

As mutilações de qualquer gênero são sempre uma repressão cruel e violenta às leis naturais da vida; no entanto, todos nós somos convocados a planejar uma vida sexual equilibrada.

Abstenção imposta gera desequilíbrio, mas a educação, aliada ao controle e à responsabilidade, será sempre a meta segura para o emprego respeitável e nobre das forças sexuais.

[1] *Questão 725*

Que se deve pensar das mutilações operadas no corpo do homem ou dos animais?

"A que propósito, semelhante questão? Ainda uma vez: inquiri sempre vós mesmos se é útil aquilo de que porventura se trate. A Deus não pode agradar o que seja inútil e o que for nocivo lhe será sempre desagradável. Porque, ficai sabendo, Deus só é sensível aos sentimentos que elevam para ele a alma. Obedecendo-lhe à lei e não a violando é que podereis forrar-vos ao jugo da vossa matéria terrestre."

Depressão

É preciso saber lidar com nossas emoções; não devemos nos censurar por senti-las, mas sim julgar a decisão do que faremos com elas.

Reparação é o ato de compensar ou ressarcir prejuízos que causamos, não apenas aos outros mas também a nós mesmos, através de posturas inadequadas e injustas.

Necessitamos reparar as atitudes desonestas que tivemos perante nós mesmos, para ressarcir-nos dos abalos que promovemos contra nossas próprias convicções e para compensar-nos da deslealdade com nosso modo de ser e com nossos valores íntimos.

Devemo-nos conscientizar do quanto estivemos abrindo mão de nossos sentimentos, pensamentos, emoções e necessidades em favor de alguém, somente para receber aprovação e consideração.

Quantas vezes asfixiamos e negamos nossas emoções diante de acontecimentos que nos machucaram profundamente. Relegar essa parte de nós e ignorá-la pode se tornar um tanto desagradável e destrutivo em nossas vidas.

Viver o direito de sentirmos nossas emoções equivale a ser honestos com nós mesmos. Elas nos ajudam no processo de autodescobrimento e estão vinculadas a estruturas importantes de nossa vida mental, como os pensamentos cognitivos e as nossas intuições.

O hábito de rejeitarmos, frequentemente, as energias emocionais fará com que percamos a capacidade de sentir corretamente; e, sem a interpretação dos sentimentos, não poderemos promover a reparação de nossas faltas.

Para repará-las, é preciso estarmos predispostos a dizer o que pensamos e a escolher com independência.

Para repará-las, é necessário termos a liberdade de sentir o que sentimos e de viver segundo nossas próprias emoções.

Para resgatar nossas faltas conosco e com os outros, é imperioso, antes de tudo, desbloquear nossa consciência para que possamos ter um real entendimento do que e como estamos fazendo as coisas em nossa vida.

Há em nós um mecanismo psicológico regulado pelo nosso grau evolutivo, que assimila os fatos ou os ensinamentos de acordo com nossas conquistas nas áreas da percepção e do entendimento. Nossa incapacidade para absorver certos aspectos da vida deve-se a causas situadas nas profundezas da nossa consciência, que está em constante aprendizado e ascensão espiritual. Portanto, não devemos nos culpar por fatos negativos do passado, pois tudo o que fizemos estava ao nível de nossa compreensão à época em que eles ocorreram.

"*(...) poderemos ir resgatando as nossas faltas (...) reparando-as. Mas, não creiais que as resgateis mediante algumas privações pueris, ou distribuindo em esmolas o que possuirdes (...) Deus não dá valor a um arrependimento estéril, sempre fácil e que apenas custa o esforço de bater no peito*"[1], mas sim reavaliando antigas emoções e resgatando sentimentos passados, a fim de transformá-los para melhor. Desse modo, reconquistamos a perdida postura interior de "vida própria" e promovemos a modificação de nossas atitudes equivocadas perante as pessoas.

Emoções não são erradas ou pecaminosas, elas não são os atos em si, pois sentir raiva é muito diferente de cometer uma brutalidade.

Para repararmos, é preciso saber lidar com nossas emoções; não devemos nos censurar por senti-las, mas sim julgar a decisão do que faremos com elas. Advertimos, porém, que não estamos sugerindo que as emoções devam controlar nossos comportamentos. Ao contrário, acreditamos que, se não permitirmos senti-las, não saberemos como tê-las sob nosso controle.

Admitindo-as e submetendo-as ao nosso código de valores éticos, ao nosso intelecto e à nossa razão, saberemos comandá-las convenientemente, pois o resultado da repressão de nossas reações emocionais será uma progressiva tendência a estados depressivos.

Funciona deste modo uma das possíveis trajetórias da depressão: diante de um sentimento de dor, fatalmente experimentamos emoções, ou seja, reações energéticas provenientes dos instintos naturais. São denominadas "emoções básicas", conhecidas comumente como medo e raiva. Essas reações energéticas nascem como impulso de defesa para nos proteger da ameaça de dor que uma agressão pode nos causar. Se a emoção for de raiva, o organismo enfrenta a fonte da dor; quando é de medo, contorna e foge do perigo. Ambas aceleram o sistema nervoso simpático e, consequentemente, a glândula suprarrenal para que produza energia suficiente para a luta ou para a fuga. Se essas emoções (raiva ou medo) forem julgadas moralmente como negativas, elas poderão ser transformadas em sentimento de culpa, levando-nos a uma autocondenação. Quando reprimidas, quer dizer, quando não expressadas convenientemente nem aceitas, nós as negamos distorcendo os fatos, para não tomarmos consciência. Tanto a repressão sistemática quanto os compulsivos julgamentos negativos dessas emoções naturais geram a depressão.

Não são simplesmente as "*privações pueris*", as "*distribuições de esmolas*" e o ato de "*bater no peito*" que transformarão o íntimo de nossas almas. Para verdadeiramente repararmos nossas faltas, é preciso, acima de tudo, que façamos uma viagem interior, mediante uma "crescente consciência", para identificar os atos e acontecimentos incorretos que praticamos/vivenciamos e associá-los com os sentimentos e as emoções que os influenciaram. A partir daí, equilibrá-los.

Reparar nossas faltas com nós mesmos e com os outros é a fórmula feliz de evitar o sofrimento.

[1] *Questão 1000*

Já desde esta vida poderemos ir resgatando as nossas faltas?

"Sim, reparando-as. Mas, não creiais que as resgateis mediante algumas privações pueris, ou distribuindo em esmolas o que possuirdes, depois que morrerdes, quando de nada mais precisais. Deus não dá valor a um arrependimento estéril, sempre fácil e que apenas custa o esforço de bater no peito. A perda de um dedo mínimo, quando se esteja prestando um serviço, apaga mais faltas do que o suplício da carne suportado durante anos, com objetivo exclusivamente pessoal.

"Só por meio do bem se repara o mal e a reparação nenhum mérito apresenta, se não atinge o homem nem no seu orgulho, nem nos seus interesses materiais.

"De que serve, para sua justificação, que restitua, depois de morrer, os bens mal adquiridos, quando se lhe tornaram inúteis e deles tirou todo o proveito?

"De que lhe serve privar-se de alguns gozos fúteis, de algumas superfluidades, se permanece integral o dano que causou a outrem?

"De que lhe serve, finalmente, humilhar-se diante de Deus, se, perante os homens, conserva o seu orgulho?"

Depressão

Somos também Natureza; possuímos as estações da alegria, do entusiasmo, da moderação e do desânimo, assim como as da primavera, do verão, do outono e do inverno.

Em muitas circunstâncias, podemos considerar a depressão como natural período de transição. São tempos de mudança e crescimento, épocas de tristeza que antecedem novos horizontes de amadurecimento do ser em constante processo de evolução.

Os fenômenos naturais da vida sucedem, organizados, em ciclos determinados. Os períodos de troca dos antigos conceitos por outros tantos mais novos e melhores para o nosso momento atual fazem parte desse ciclo natural da consciência humana. Porque somos também Natureza; possuímos as estações da alegria, do entusiasmo, da moderação e do desânimo, assim como as da primavera, do verão, do outono e do inverno.

Aprendendo com a Natureza entre as observações das leis que regem os ecossistemas, é que deixaremos as atmosferas cinzentas da depressão passarem para fixarmo-nos nos dias de sol e de alegria, que voltarão a brilhar.

Os elementos da Natureza não se encontram separados, mas tendem a se combinar em sistemas mais complexos, estabelecidos a partir de uma série de associações físicas e biológicas. Através das relações de permutas constantes, eles adquirem uma espécie de "vida coletiva", o que lhes dá uma habilidade para se auto-organizarem e autorreproduzirem ao longo do tempo. A esse fenômeno a Ecologia denomina "ecossistema". O pensamento ecológico procura investigar algumas das leis que regulam e formam os mecanismos ecossistêmicos. Vamos descrever as que consideramos mais importantes para as nossas ponderações neste estudo:

1) A "diversidade" – Quanto maior a multiplicidade de elementos existentes no ecossistema, maior sua capacidade de se autorregular, pois maiores serão as propriedades com que ele contará para reorganizar os elementos num novo equilíbrio.

2) A "interdependência" – Na unidade funcional do ecossistema tudo está conectado com tudo, de tal modo que não poderemos tocar num elemento isolado sem atingirmos o conjunto. Assim também ocorre com o corpo humano, já que não se pode abalar um órgão sem envolver todo o organismo.

3) A "reciclagem" – Todo elemento natural liberado no ambiente é reintroduzido de alguma forma pelo ecossistema. Através desses reaproveitamentos é que os resíduos biológicos permanecem circulando e sendo reproduzidos numa espécie de ciclo fechado. É isso que permite a sobrevivência desse imenso complexo ecológico.

"*(...) O homem, tendo tudo o que há nas plantas e nos animais, domina todas as outras classes por uma inteligência especial, indefinida, que lhe dá a consciência do seu futuro, a percepção das coisas extramateriais e o conhecimento de Deus.*"[1]

Por sermos parte desse grandioso espetáculo da Natureza e possuirmos a capacidade de entendê-lo racionalmente, é que deveríamos ser os primeiros a considerar a sagrada naturalidade que há em nós, bem como a perceber, conscientemente, seu processo atuando em nossa intimidade.

A seguir, algumas conexões entre as leis ou regras de funcionamento dos ecossistemas, que nos ensinarão a regular nosso ritmo de vida para não voltarmos aos velhos padrões de pensamentos depressivos:

1) Na "diversidade" de novos conhecimentos filosóficos, religiosos ou científicos e na análise de diversos modos de definir a realidade das coisas, é que aumentaremos a capacidade de autorregular-nos emocionalmente para restabelecermos um novo equilíbrio existencial.

2) Na "interdependência" da vida social, mas nunca no isolamento, é que extrairemos as experiências de que necessitamos para sair do marasmo, pois é nas relações de permuta constante na vida coletiva que aprenderemos que tudo está relacionado com tudo. Devemos descobrir nossas similaridades com toda a obra da Criação. Ninguém será feliz sozinho, pois o homem é apenas uma parcela dessa grande sinfonia da evolução da vida na Terra.

3) Na "reciclagem" de todos os elementos que as experiências da vida nos oferecem, o reaproveitamento deverá ser feito indistintamente, tanto para os que chamamos bons quanto para os que consideramos maus. Alegria e tristeza são nossas companheiras de viagem, estão sempre nos ensinando algo na caminhada evolucional. Tudo tem seu próprio valor e lugar na existência; por isso, não devemos tentar afastar de forma irrefletida as nuvens negras que impedem, momentaneamente, que a luz nos alcance. A vida na Terra ainda é um jogo de luzes e sombras. Tudo na vida tem um fim utilitário para crescermos integralmente.

A reflexão atenta a esses apontamentos permite-nos entender melhor nossos ciclos depressivos, recolhendo assim as abençoadas sementes da "arte de viver".

[1] *Questão 585*

Que pensais da divisão da Natureza em três reinos, ou melhor, em duas classes: a dos seres orgânicos e a dos inorgânicos? Segundo alguns, a espécie humana forma uma quarta classe. Qual destas divisões é preferível?

"Todas são boas, conforme o ponto de vista. Do ponto de vista material, apenas há seres orgânicos e inorgânicos. Do ponto de vista moral, há evidentemente quatro graus."

Nota – Esses quatro graus apresentam, com efeito, caracteres determinados, muito embora pareçam confundir-se nos seus limites extremos. A matéria inerte, que constitui o reino mineral, só tem em si uma força mecânica. As plantas, ainda que compostas de matéria inerte, são dotadas de vitalidade. Os animais, também compostos de matéria inerte e igualmente dotados de vitalidade, possuem, além disso, uma espécie de inteligência instintiva, limitada, e a consciência de sua existência e de suas individualidades. O homem, tendo tudo o que há nas plantas e nos animais, domina todas as outras classes por uma inteligência especial, indefinida, que lhe dá a consciência do seu futuro, a percepção das coisas extramateriais e o conhecimento de Deus.

Dependência

Nossa autonomia, tanto física, emocional, mental como espiritual, está diretamente ligada às nossas conquistas e descobertas íntimas.

As dificuldades de nosso desenvolvimento e crescimento espiritual se devem ao fato de que nem sempre conseguimos encontrar com facilidade nossa própria maneira de viver e evoluir. Cada um de nós está destinado a participar de uma maneira específica e peculiar na obra da criação. Entretanto, é imprescindível compreendermos nosso valor pessoal como seres originais, ou seja, criados por Deus "sob medida", percorrendo, particularmente, nosso caminho e assumindo por completo a responsabilidade pelo nosso próprio crescimento espiritual.

Ser nós mesmos é tomar decisões, não para agradar os outros que nos observam, mas porque estamos usando, consciente e responsavelmente, nossa capacidade de ser, sentir, pensar e agir.

Ser nós mesmos é eliminar os traços de dependência que nos atam às outras pessoas. Não nos esquecendo, porém, de respeitar-lhes a liberdade e a individualidade e de defender também a nossa, sem o medo de ficar só e desamparado.

Ser nós mesmos é viver na própria "simplicidade de ser", libertos da vaidosa e dissimulada autossatisfação, que consiste em fazer gênero de "diferente" perante os outros, a fim de ostentar uma aparência de "personalidade marcante".

Ser nós mesmos é acreditar em nosso poder pessoal, elaborando um mapa para nossos objetivos e percorrendo os caminhos necessários para atingi-los.

No Novo Testamento, capítulo 7, versículo 13, assim escreveu Mateus em seus apontamentos: "Entrai pela porta estreita, porque larga é a porta e espaçoso o caminho que leva a perdição (...)".

Pelo fato de a porta ser estreita, deveremos atravessá-la – um de cada vez – completamente sozinhos, acompanhados apenas pelo mundo de nossos pensamentos e conquistas íntimas.

A "porta é estreita", porque ainda não entendemos que, mesmo vivendo em comunidade, estaremos vivendo, essencialmente, com nós mesmos, pois para transpor essa porta é preciso aprender a arte de "ser".

Efetivamente, atingiremos nossa independência quando percebermos a inutilidade dos passatempos, das viagens, do convencionalismo da etiqueta, do consumismo que fazemos somente para conquistar a aprovação dos outros, e não porque decorrem de nossa livre vontade.

Eliminar o domínio, a autoridade ou a influência das ideias, das pessoas, das diversões, dos instintos, do trabalho e dos lugares não significa que precisamos extirpar ou abandonar completamente todas essas coisas, mas somente a dependência. Podemos nos ocupar desses assuntos quando bem quisermos, conforme nossas necessidades e conveniências, sem a escravidão do condicionamento doentio.

Passar por esse "trajeto restrito" é ter a coragem de romper as amarras internas e externas que nos impedem a conquista da liberdade. Perguntemo-nos: quantos dos nossos atos e atitudes são subprodutos de nossas dependências estruturadas na subordinação da sociedade? A submissão social tem sua base inicial na busca de aprovação dos outros, colocando os indivíduos na posição de permanentes escravos e pedintes do aplauso hipócrita e do verniz da lisonja.

A travessia desse "longo caminho ermo" nos levará ao Reino dos Céus, estruturado e localizado na essência de nós mesmos. Para tanto, devemos recordar-nos de que as Leis Divinas estão escritas na nossa consciência, cabendo-nos aprender a interpretá-las em nós e por nós mesmos.

Jesus Cristo, constantemente, referia-se a esse Reino Interior como sendo a morada de Deus em nós. Por voltarmos costumeiramente nossos olhos para fora, e não para dentro de nós mesmos, é que nunca conseguimos vislumbrar as riquezas de nosso mundo interior.

Mateus prossegue em seus comentários dizendo: "(...) apertado é o caminho que leva à vida, e poucos há que o encontrem." Por "vida" devemos entender não apenas a manutenção da vida biológica na Terra, que é passageira e fugaz, mas a plenitude da Vida Superior, iniciada sobretudo na vivência do mundo interior.

Nossa autonomia, tanto física, emocional, mental como espiritual, está diretamente ligada às nossas conquistas e descobertas íntimas. Nossa tão almejada realização interior está relacionada com o conhecimento de nós mesmos.

"Apertado é o caminho", porque exige esforços importantes para que possamos eliminar nossos laços de dependência neurótica, os quais nos condicionam a viver sem usufruir nossa liberdade interior, aceitando ser manipulados pelos juízos e opiniões alheias.

A liberdade se inicia no pensamento para, posteriormente, materializar-se na exterioridade, quebrando, então, os grilhões da dependência. Os Espíritos Amigos enfocaram o assunto com muita sabedoria, afirmando: "*No pensamento goza o homem de ilimitada liberdade, pois que não há como pôr-lhe peias. Pode-se-lhe deter o voo, porém, não aniquilá-lo.*"[1]

[1] *Questão 833*

Haverá no homem alguma coisa que escape a todo constrangimento e pela qual goze ele de absoluta liberdade?

"No pensamento goza o homem de ilimitada liberdade, pois que não há como pôr-lhe peias. Pode-se-lhe deter o voo, porém, não aniquilá-lo."

Dependência

A capacidade de amar está presente na alma humana, mas, para que floresça, exige maturação da consciência, isto é, "aprimoramento dos sentimentos".

A maioria das criaturas foi educada ouvindo fábulas e mitos do amor romântico. Os tabus sexuais, as velhas estruturas familiares, as normas tradicionais do matrimônio, consideradas "virtudes femininas", estabeleceram, na formação educacional das mulheres, todo um comportamento de dependência em relação aos homens. Elas centraram suas vidas em outros indivíduos, preocupadas em receber proteção e cuidados, e destruíram, com o tempo, suas vocações e aptidões mais íntimas.

"*São iguais perante Deus o homem e a mulher (...) outorgou Deus a ambos a inteligência do bem e do mal e a faculdade de progredir.*"[1]

Muitos acreditaram que o amor seria somente despertado por uma "varinha de condão" ou por uma "flecha do cupido" que, ao tocá-los, acordasse das profundezas de seu inconsciente um sentimento há muito tempo adormecido. Existem aqueles que, ingênuos, passam uma encarnação inteira esperando que essa "dádiva mágica" desabroche de repente, entre a procura e a espera do ser amado, pagando desesperadamente qualquer preço.

Na atualidade, muitos educadores, psicólogos, antropólogos e psiquiatras afirmam que a forma como usamos nossos sentimentos é uma "resposta aprendida". A capacidade de amar está presente na alma humana, mas, para que floresça, exige maturação da consciência, isto é, "aprimoramento dos sentimentos".

Explicam, ainda, que a criatura aprende a utilizar o amor através de um processo que está diretamente relacionado com o ambiente em que viveu na infância e com o em que vive hoje, somando-se a tudo isso a capacidade íntima de aprendizagem. Portanto, estamos constantemente "aprendendo a amar".

Paralelamente, sabemos que as diversas vivências reencarnatórias sedimentam na alma humana certas predisposições singulares no entendimento do amor. Os costumes, as tradições e os hábitos que envolvem o namoro, o casamento, o sexo e a família, completamente diferentes de nação para nação, de continente para continente, estabelecem noções diversificadas sobre a afetividade nos espíritos em sua longa marcha evolutiva.

Existem aqueles que colocaram o amor dentro de uma estrutura romântica, ou seja, fazem prevalecer um sentimentalismo exagerado e uma imaginação irreal, desprezando o significado dos sentimentos autênticos. Eles acreditam que o casamento extingue por completo todas as adversidades e infortúnios existenciais e que as ansiedades do cotidiano acabariam, terminantemente, quando a cerimônia sacramentasse num abraço de ternura o "felizes para toda a eternidade".

A necessidade recíproca de controle, as promessas de que renunciariam à própria individualidade e teriam os mesmos objetivos para todo o sempre são os primeiros indícios de uma enorme desilusão na vida a dois. Compromissos de amor são válidos, desde que aprendamos que nossa vida está em constante renovação. Assim como as pessoas passam por diversas transformações, também o amor que sentem pelos outros se transforma. Quanto mais observarmos os ciclos da vida fora de nós, mais entenderemos as transformações que ocorrem em nossa intimidade, porque nós também somos Vida. Apenas desse modo, ficaremos mais seguros e estáveis em relação ao nosso desenvolvimento e amadurecimento afetivos.

A diferença fundamental entre amor e dependência é observada com clareza nas ações e comportamentos das criaturas. A dependência prende, possessivamente, uma pessoa à outra, enquanto o amor de fato incentiva a liberdade, a sinceridade e a naturalidade. O dependente é caracterizado por demonstrar necessidade constante e por reclamar sistematicamente a atenção do outro.

O indivíduo dependente padece dos recursos psíquicos de alguém para viver. Ele dirá "eu o amo", mas, em realidade, quer dizer "eu preciso de você", ou mesmo, "eu não vivo sem você". O amor real baseia-se no sentimento compartilhado entre duas pessoas maduras, ao passo que o amor dependente implora consideração e carinho, infantilmente.

Os legítimos sentimentos da alma nunca se sujeitam a ordenações e imposições, mas sim a uma completa espontaneidade de atitudes e emoções. Dependência gera dores na alma; já a liberdade para amar é um direito natural de todos os filhos de Deus.

[1] *Questão 817*

São iguais perante Deus o homem e a mulher e têm os mesmos direitos?

"Não outorgou Deus a ambos a inteligência do bem e do mal e a faculdade de progredir?"

Inveja

O invejoso é inseguro e supersensível, irritadiço e desconfiado, observador minucioso e detetive da vida alheia até a exaustão, sempre armado e alerta contra tudo e todos.

A inveja sempre foi uma emoção sutilmente disfarçada em nossa sociedade, assumindo aspectos ignorados pela própria criatura humana. As atitudes de rivalidade, antagonismo e hostilidade dissimulam muito bem a inveja, ou seja, a própria "prepotência da competição", que tem como origem todo um séquito de antigas frustrações e fracassos não resolvidos e interiorizados.

O invejoso é inseguro e supersensível, irritadiço e desconfiado, observador minucioso e detetive da vida alheia até a exaustão, sempre armado e alerta contra tudo e todos. Faz o gênero de superior, quando, em realidade, se sente inferiorizado; por isso, quase sempre deixa transparecer um ar de sarcasmo e ironia em seu olhar, para ocultar dos outros seu precário contato com a felicidade.

Acreditamos que, apesar de a inveja e o ciúme possuírem definições diferentes, quase sempre não são diferenciados ou corretamente percebidos por nós. As convenções religiosas nos ensinaram que jamais deveríamos sentir inveja, pelo fato de ela se encontrar ligada à ganância e à cobiça dos bens alheios. Em relação ao ciúme, os padrões estabeleceram que ele estaria, exclusivamente, ligado ao amor. É por isso que passamos a acreditar que ele é aceitável e perfeitamente admissível em nossas atitudes pessoais.

Analisando as origens atávicas e inatas da evolução humana, podemos afirmar que a emoção da inveja não é uma necessidade aprendida. Não foi adquirida por experiência nem por força da socialização, mas é uma reação instintiva e natural, comum a qualquer criatura do reino animal. O agrado e carinho a um cão pode provocar agressividade e irritação em outro, por despeito.

Nos adultos essas manifestações podem ser disfarçadas e transformadas em atos simulados de menosprezo ou de indiferença. Já as crianças, por serem ingênuas e naturais, mordem, batem, empurram, choram e agridem.

A inveja entre irmãos é perfeitamente normal. Em muitas ocasiões, ela surge com a chegada de um irmão recém-nascido, que passa a obter, no ambiente familiar, toda a atenção e carinho. Ela vem à tona também nas comparações de toda espécie, feitas pelos amigos e parentes, sobre a aparência física privilegiada de um deles. Muitas vezes, a inveja manifesta-se em razão da forma de tratamento e relacionamento entre pais e filhos. Por mais que os pais se esforcem para tratá-los com igualdade, não o conseguem, pois cada criança é uma alma completamente diferente da outra. Em vista disso, o modo de tratar é consequentemente desigual, nem poderia ser de outra maneira, mas os filhos se sentem indignados com isso.

A emoção da inveja no adulto é produto das atitudes internas de indivíduos de idade psicológica bem inferior à idade cronológica, os quais, embora ocupem corpos desenvolvidos, são verdadeiras almas de crianças mimadas, impotentes e inseguras, que querem chamar a atenção dos maiores no lar.

O Mestre de Lyon interroga as Vozes do Céu: "*Será possível e já terá existido a igualdade absoluta das riquezas?*" E elas, com muita sabedoria, informam: "*(...) Há, no entanto, homens que julgam ser esse o remédio aos males da sociedade (...) São sistemáticos esses tais, ou ambiciosos cheios de inveja (...)*"[1].

A necessidade de poder e de prestígio desmedidos que encontramos em inúmeros homens públicos nas áreas religiosa, política, profissional, esportiva, filantrópica, de lazer e outras tantas, deriva de uma "aspiração de dominar" ou de um "sentimento de onipotência", com o que tentam contrabalançar emocionalmente o complexo de inferioridade que desenvolveram na fase infantil.

Encontramos esses indivíduos, aos quais os Espíritos se reportam na questão acima, nas lutas partidárias, em que, só aparentemente, buscam a igualdade dos "direitos humanos", prometem a "valorização da educação", asseguram a melhoria da "saúde da população" e a "divisão de terras e rendas". Sem ideais alicerçados na busca sincera de uma sociedade equânime e feliz, procuram, na realidade, compensar suas emoções de inveja mal elaboradas e guardadas desde a infância, difícil e carente, vivida no mesmo ambiente de indivíduos ricos e prósperos.

Tanto é verdade que a maioria desses "defensores do povo", quando alcança os cumes sociais e do poder, esquece-se completamente das suas propostas de justiça e igualdade.

Eis alguns sintomas interiorizados de inveja que podemos considerar como dissimulados e negados:

– perseguições gratuitas e acusações sem lógica ou fantasiadas;

– inclinações superlativas à elegância e ao refinamento, com aversão à grosseria;

– insatisfação permanente, nunca se contentando com nada;
– manifestação de temperamento teatral e pedantismo nas atitudes;
– elogios afetados e amores declarados exageradamente;
– animação competitiva que leva às raias da agressividade.

O caráter invejoso conduz o indivíduo a uma imitação perpétua à originalidade e criação dos outros e, como consequência lógica, à frustração. Isso acarreta uma sensação crônica de insatisfação, escassez, imperfeição e perda, além de estimular sempre uma crescente dor moral e prejudicar o crescimento espiritual das almas em evolução.

[1] *Questão 811*

Será possível e já terá existido a igualdade absoluta das riquezas?

"Não; nem é possível. A isso se opõe a diversidade das faculdades e dos caracteres."

Questão 811 – a

Há, no entanto, homens que julgam ser esse o remédio aos males da sociedade. Que pensais a respeito?

"São sistemáticos esses tais, ou ambiciosos cheios de inveja. Não compreendem que a igualdade com que sonham seria a curto prazo desfeita pela força das coisas. Combatei o egoísmo, que é a vossa chaga social, e não corrais atrás de quimeras."

Inveja

Não há nada a nos censurar por apreciarmos os feitos das pessoas e/ou por a eles aspirarmos; o único problema é que não podemos nos comparar e querer tomar como modelo o padrão vivencial do outro.

Se tivermos o hábito de investigar nossos comportamentos autodestrutivos e fizermos uma análise desses antecedentes históricos em nossa vida, poderemos, cada vez mais, compreender o porquê de permanecermos presos em certas áreas prejudiciais à nossa alegria de viver.

Esses comportamentos infelizes a que nos referimos não são apenas as atitudes evidentemente desastrosas, mas os diminutos atos cotidianos que podem passar como aceitáveis e completamente admissíveis. Entretanto, tais atos são os grandes perturbadores de nossa paz interior.

Muitos indivíduos não se preocupam em estudar as raízes de seus comportamentos rotineiros, porque acreditam que, para assumir a responsabilidade da renovação íntima, precisariam despender um enorme sacrifício. Sendo assim, preferem permanecer apegados aos antigos costumes, utilizando-se dos preconceitos e de crenças distorcidas, sem se darem conta de que estes são as matrizes de seus pontos vulneráveis.

Para afastar todo e qualquer anseio de transformação interior, utilizam-se de um processo psicológico denominado "racionalização" – artifício criado para desviar a atenção dos "verdadeiros motivos" das atitudes e ações – para se verem livres das "crises de consciência", procurando assim justificar os fatos inadequados de suas vidas.

Somente alteraremos nossos atos e atitudes doentios quando tomarmos plena consciência de que são eles as raízes de nossas perturbações emocionais e dos inúteis desgastes energéticos. É examinando nosso dia a dia à luz das escolhas que fizemos ou que deixamos de fazer, que veremos com clareza que somos, na atualidade, a "soma integral" de nossas opções diante da vida.

Os indivíduos que possuem o hábito da crítica destrutiva estão, em verdade, dissimulando outras emoções, talvez a inveja ou mesmo o despeito. Existem posturas efetuadas tão costumeiramente e que se tornam tão imperceptíveis que poderíamos denominá-las "atitudes crônicas".

A inveja é definida como sendo o desejo de possuir e de ser o que os outros são, podendo tornar-se uma atitude crônica na vida de uma criatura. É uma forma de cobiça, um desgosto em face da constatação da felicidade e superioridade de outrem.

Observar a criatura sendo, tendo, criando e realizando, provoca uma espécie de dor no invejoso, por ele não ser, não ter, não criar e não realizar. A inveja leva, por consequência, à maledicência, que tem por base ressaltar os equívocos e difamar; assim é a estratégia do depreciador: "Se eu não posso subir, tento rebaixar os outros; assim, compenso meu complexo de inferioridade".

A inveja nasce quase sempre por nos compararmos constantemente com os outros. Nessa comparação, o homem desconhece o fato de sua singularidade, possuidor de expressões íntimas completamente diferente das dos outros seres. É verdade, porém, que possuímos algumas semelhanças e características comuns com outros homens, mas, em essência, somos almas criadas em diferentes épocas pelas mãos do Criador e, por isso, passamos por experiências distintas e trazemos na própria intimidade missões peculiares.

Anormalidade, normalidade, sobrenaturalidade e paranormalidade são de fato catalogações da incompreensão humana alicerçadas sobre as chamadas comparações.

A ausência do amadurecimento espiritual faz com que rotulemos, de forma humilhante e pretensiosa, os credos religiosos, a heterogeneidade das raças, os costumes de determinados povos, as tendências sexuais diferentes, os movimentos sociais inovadores, as decisões, o comportamento, o sucesso dos outros e muitas coisas ainda. Tudo isso ocorre porque não conseguimos digerir com ponderação a grandeza do processo evolutivo agindo de forma diversificada sob as leis da Natureza.

O autêntico impulso natural quer que sejamos simplesmente nós mesmos. Não faz parte dos impulsos inatos da alma humana a pretensão de nos considerarmos melhor que as outras pessoas. O que devemos fazer é aceitar-nos como somos, é respeitar nossas diferenças e reconhecer nossos valores.

O extraordinário educador Rivail questiona os Mensageiros do Amor: "*Os Espíritos inferiores compreendem a felicidade do justo?*". E eles respondem com notável orientação: "*(...) isso lhes é um suplício, porque compreendem que estão dela privados por sua culpa (...)*"[1]

A inveja é o extremo oposto da admiração. É uma ferramenta cômoda que usamos sempre que não queremos assumir a responsabilidade por nossa vida. Ela nos faz censurar e apontar as supostas falhas das pessoas, distraindo-nos a mente do necessário desenvolvimento de nossas potencialidades interiores. Em vez de nos esforçarmos para crescer e progredir, denegrimos os outros para compensar nossa indolência e ociosidade.

Não há nada a nos censurar por apreciarmos os feitos das pessoas e/ou por a eles aspirarmos; o único problema é que não podemos nos comparar e querer tomar como modelo o padrão vivencial do outro.

A inveja e a censura nascem da autorrejeição que fazemos conosco, justamente por não acreditarmos em nossos potenciais evolutivos e por procurarmos fora de nós as explicações de como deveremos sentir, pensar, falar, fazer e agir, ora dando uma importância desmedida aos outros, ora tentando convencê-los a todo custo de nossas verdades.

[1] *Questão 975*

Os Espíritos inferiores compreendem a felicidade do justo?

"Sim, e isso lhes é um suplício, porque compreendem que estão dela privados por sua culpa. Daí resulta que o Espírito, liberto da matéria, aspira à nova vida corporal, pois que cada existência, se for bem empregada, abrevia um tanto a duração desse suplício. É então que procede à escolha das provas por meio das quais possa expiar suas faltas. Porque, ficai sabendo, o Espírito sofre por todo o mal que praticou, ou de que foi causa voluntária, por todo o bem que houvera podido fazer e não fez e por todo o mal que decorra de não haver feito o bem."

"Para o Espírito errante, já não há véus. Ele se acha como tendo saído de um nevoeiro e vê o que o distancia da felicidade. Mais sofre então, porque compreende quanto foi culpado. Não tem mais ilusões: vê as coisas na sua realidade."

Nota - Na erraticidade, o Espírito descortina, de um lado, todas as suas existências passadas; de outro, o futuro que lhe está prometido e percebe o que lhe falta para atingi-lo. É qual viajor que chega ao cume de uma montanha: vê o caminho que percorreu e o que lhe resta percorrer, a fim de chegar ao fim da sua jornada.

Notas:
* *Número da questão ("O Livro dos Espíritos").*
** Número da página ("As dores da alma") que inicia o subcapítulo onde a questão é tratada.